保育士
採用試験
重要ポイント＋問題集

'26年度版

成美堂出版

CONTENTS

第１部　専門科目

第2部　論作文

本書の使い方

＜専門科目＞

ここだけおさえる厳選ポイント
この科目で学習する内容のうち、試験によく出る重要ポイントを厳選しました。

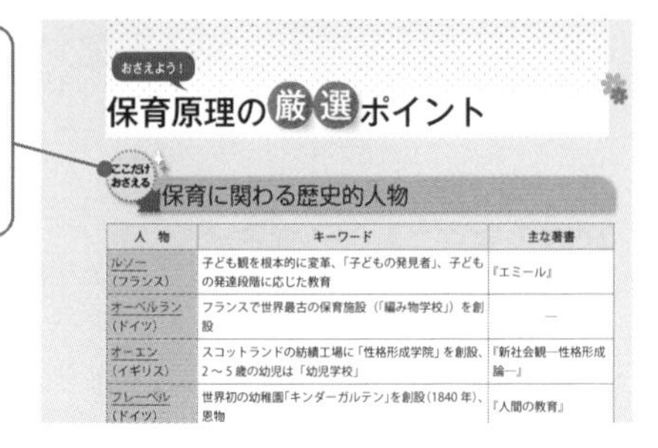

おさえよう！

保育原理の厳選ポイント

ここだけおさえる　保育に関わる歴史的人物

人　物	キーワード	主な著書
ルソー（フランス）	子ども観を根本的に変革、「子どもの発見者」、子どもの発達段階に応じた教育	『エミール』
オーベルラン（ドイツ）	フランスで世界最古の保育施設（「編み物学校」）を創設	—
オーエン（イギリス）	スコットランドの紡績工場に「性格形成学院」を創設、2～5歳の幼児は「幼児学校」	『新社会観―性格形成論―』
フレーベル（ドイツ）	世界初の幼稚園「キンダーガルテン」を創設（1840年）、恩物	『人間の教育』

赤シートを活用！
厳選ポイントや解答の解説中、覚えておきたい部分を赤字にしていますので、赤シートを使って確認することができます。

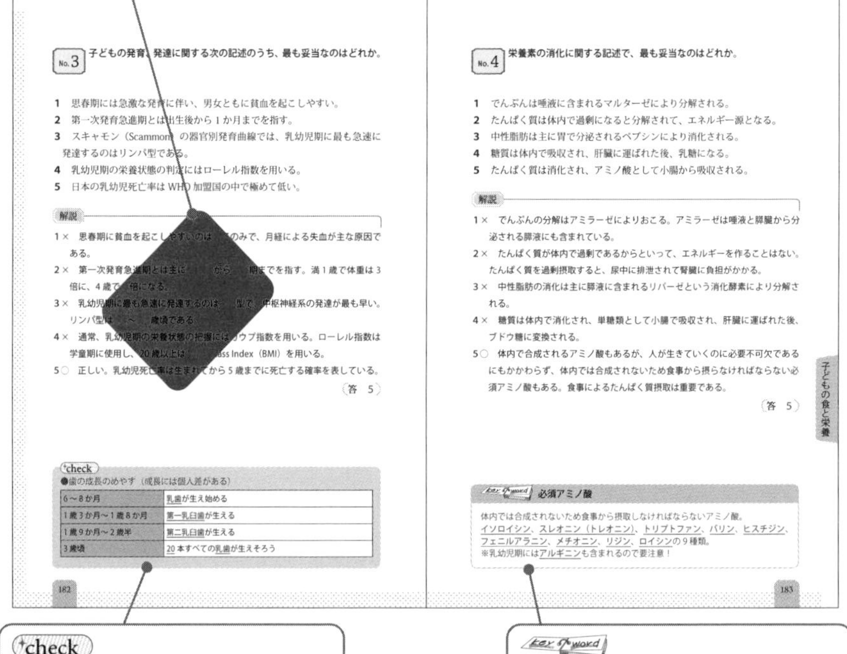

No.3　子どもの発育、発達に関する次の記述のうち、最も妥当なのはどれか。

1　思春期には急激な発育に伴い、男女ともに貧血を起こしやすい。
2　第一次発育急進期とは出生後から1か月までを指す。
3　スキャモン（Scammon）の器官別発育曲線では、乳幼児期に最も急速に発達するのはリンパ型である。
4　乳幼児期の栄養状態の判定にはローレル指数を用いる。
5　日本の乳幼児死亡率はWHO加盟国の中で極めて低い。

解説
1×　思春期に貧血を起こしやすいのは　のみで、月経による失血が主な原因である。
2×　第一次発育急進期とは主に　から　期までを指す。満1歳で体重は3倍に、4歳で　倍になる。
3×　乳幼児期に最も急速に発達するのは　型で、中枢神経系の発達が最も早い。リンパ型は　～　歳頃である。
4×　通常、乳幼児期の栄養状態の把握には　ウプ指数を用いる。ローレル指数は学童期に使用し、20歳以上は　ass Index（BMI）を用いる。
5○　正しい。乳幼児死亡率は生まれてから5歳までに死亡する確率を表している。
（答　5）

check
●歯の成長のめやす（成長には個人差がある）

6～8か月	乳歯が生え始める
1歳3か月～1歳8か月	第一乳臼歯が生える
1歳9か月～2歳半	第二乳臼歯が生える
3歳頃	20本すべての乳歯が生えそろう

182

No.4　栄養素の消化に関する記述で、最も妥当なのはどれか。

1　でんぷんは唾液に含まれるマルターゼにより分解される。
2　たんぱく質は体内で過剰になると分解されて、エネルギー源となる。
3　中性脂肪は主に胃で分泌されるペプシンにより消化される。
4　糖質は体内で吸収され、肝臓に運ばれた後、乳糖になる。
5　たんぱく質は消化され、アミノ酸として小腸から吸収される。

解説
1×　でんぷんの分解はアミラーゼによりおこる。アミラーゼは唾液と膵臓から分泌される膵液にも含まれている。
2×　たんぱく質が体内で過剰であるからといって、エネルギーを作ることはない。たんぱく質を過剰摂取すると、尿中に排泄されて腎臓に負担がかかる。
3×　中性脂肪の消化は主に膵液に含まれるリパーゼという消化酵素により分解される。
4×　糖質は体内で消化され、単糖類として小腸で吸収され、肝臓に運ばれた後、ブドウ糖に変換される。
5○　体内で合成されるアミノ酸もあるが、人が生きていくのに必要不可欠であるにもかかわらず、体内では合成されないため食事から摂らなければならない必須アミノ酸もある。食事によるたんぱく質摂取は重要である。
（答　5）

子どもの食と栄養

key word　必須アミノ酸
体内では合成されないため食事から摂取しなければならないアミノ酸。
イソロイシン、スレオニン（トレオニン）、トリプトファン、バリン、ヒスチジン、フェニルアラニン、メチオニン、リジン、ロイシンの9種類。
※乳幼児期にはアルギニンも含まれるので要注意！

183

check
見開きページにある問題に関連した内容で、さらに覚えておきたいことをまとめました。

key word
問題や解説に出てくる用語や人物などを簡単に説明しています。学習のヒントなどもあります。

※本書は原則として2024年8月現在の法令等に基づき編集しています。ただし、編集時点で入手できた法令等改正情報はできるだけ反映しています。
※障害名称などの表記は、法令や診断指針などにより、異なる場合があります。

本書は採用試験に必要な内容をまとめた予想問題集です。答えやポイントを隠せる赤シート付きなので学習効率もアップします。試験に向けて確実に力をつけましょう。

＜論作文＞

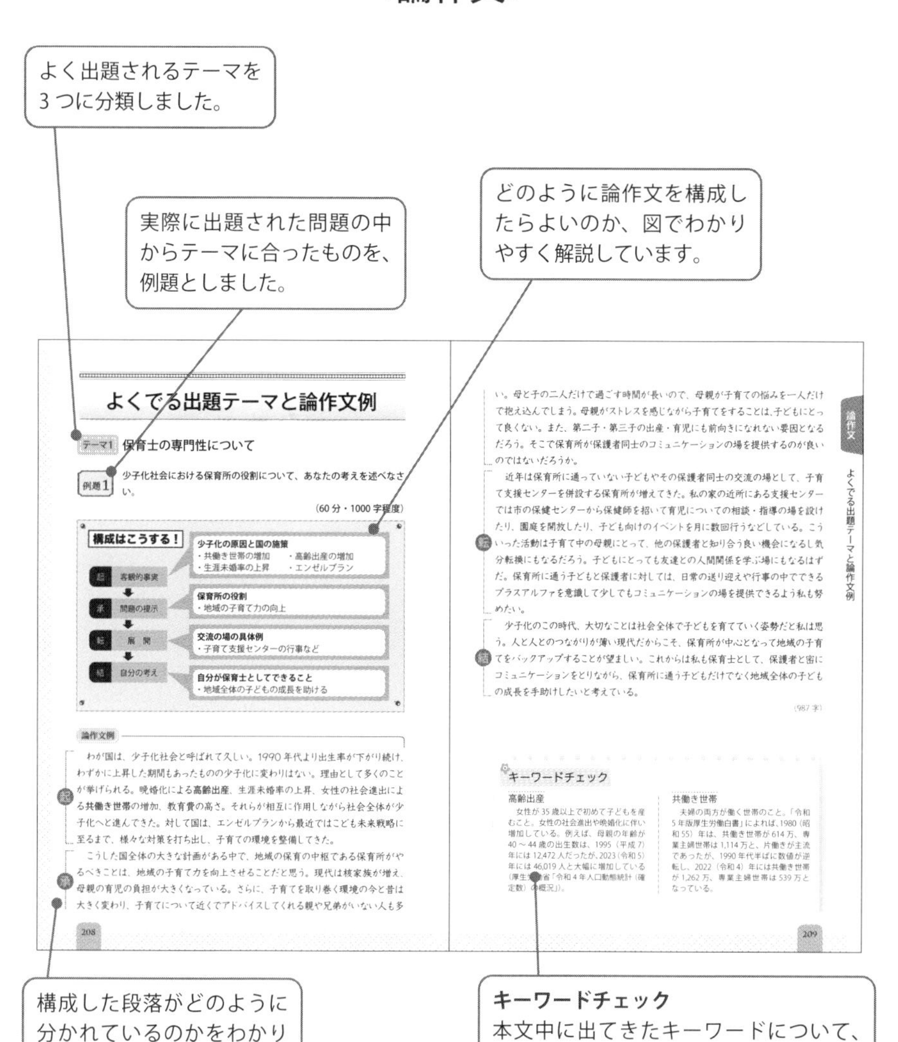

よくでる出題テーマと論作文例

テーマ1 保育士の専門性について

例題1 少子化社会における保育所の役割について、あなたの考えを述べなさい。

（60分・1000字程度）

構成はこうする！

- 起 客観的事実 → **少子化の原因と国の施策**
  - ・共働き世帯の増加 ・高齢出産の増加
  - ・生涯未婚率の上昇 ・エンゼルプラン
- 承 問題の提示 → **保育所の役割**
  - ・地域の子育て力の向上
- 転 展開 → **交流の場の具体例**
  - ・子育て支援センターの行事など
- 結 自分の考え → **自分が保育士としてできること**
  - ・地域全体の子どもの成長を助ける

論作文例

（起）わが国は、少子化社会と呼ばれて久しい。1990年代より出生率が下がり続け、わずかに上昇した期間もあったものの少子化に変わりはない。理由として多くのことが挙げられる。晩婚化による**高齢出産**、生涯未婚率の上昇、女性の社会進出による**共働き世帯**の増加、教育費の高さ。それらが相互に作用しながら社会全体が少子化へと進んできた。対して国は、エンゼルプランから最近ではこども未来戦略に至るまで、様々な対策を打ち出し、子育ての環境を整備してきた。

（承）こうした国全体の大きな計画がある中で、地域の保育の中枢である保育所がやるべきことは、地域の子育て力を向上させることだと思う。現代は核家族が増え、母親の育児の負担が大きくなっている。さらに、子育てを取り巻く環境の今と昔は大きく変わり、子育てについて近くでアドバイスしてくれる親や兄弟がいない人も多い。母と子の二人だけで過ごす時間が長いので、母親が子育ての悩みを一人だけで抱え込んでしまう。母親がストレスを感じながら子育てをすることは、子どもにとって良くない。また、第二子・第三子の出産・育児にも前向きになれない要因となるだろう。そこで保育所が保護者同士のコミュニケーションの場を提供するのが良いのではないだろうか。

（転）近年は保育所に通っていない子どもやその保護者同士の交流の場として、子育て支援センターを併設する保育所が増えてきた。私の家の近所にある支援センターでは市の保健センターから保健師を招いて育児についての相談・指導の場を設けたり、園庭を開放したり、子ども向けのイベントを月に数回行うなどしている。こういった活動は子育て中の母親にとって、他の保護者と知り合う良い機会になるし気分転換にもなるだろう。子どもにとっても友達との人間関係を学ぶ場にもなるはずだ。保育所に通う子どもと保護者に対しては、日常の送り迎えや行事の中でできるプラスアルファを意識して少しでもコミュニケーションの場を提供できるよう私も努めたい。

（結）少子化のこの時代、大切なことは社会全体で子どもを育てていく姿勢だと私は思う。人と人とのつながりが薄い現代だからこそ、保育所が中心となって地域の子育てをバックアップすることが望ましい。これからは私も保育士として、保護者と密にコミュニケーションをとりながら、保育所に通う子どもだけでなく地域全体の子どもの成長を手助けしたいと考えている。

（987字）

キーワードチェック

高齢出産
女性が35歳以上で初めて子どもを産むこと。女性の社会進出や晩婚化に伴い増加している。例えば、母親の年齢が40～44歳の出生数は、1995（平成7）年には12,472人だったが、2023（令和5）年には46,019人と大幅に増加している（厚生労働省「令和4年人口動態統計（確定数）の概況」）。

共働き世帯
夫婦の両方が働く世帯のこと。「令和5年版厚生労働白書」によれば、1980（昭和55）年は、共働き世帯が614万、専業主婦世帯は1,114万と、片働きが主流であったが、1990年代半ばに数値が逆転し、2022（令和4）年には共働き世帯が1,262万、専業主婦世帯は539万となっている。

論作文　よくでる出題テーマと論作文例

208　209

※ p.4～5に掲載しているページは見本です。本文とは一致しません。

保育士採用試験のガイダンス

公務員採用試験は、各自治体によって試験の日程や受験資格、試験の概要などが変わります。受験申し込み受付期間の短い自治体もありますので受験の際には、必ずご自身で、各自治体のホームページなどでしっかり確認してください。

試験を実施する自治体によって差はありますが、保育士採用試験はおおむね次のように進みます。（　　）内は多くの自治体で行われている秋試験の例です。

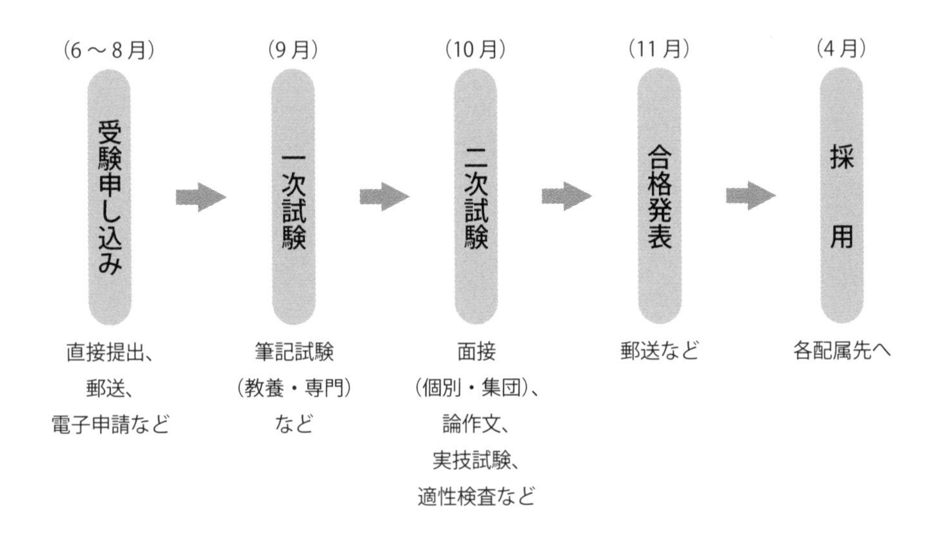

ほとんどの自治体で2025年に実施される保育士の採用試験は「免許資格職」です。2026年3月までに保育士登録済みか、保育士資格取得見込みである必要があります。必ず登録、または取得しましょう。

論作文試験や適性検査などは、一次試験で行う自治体もあります。また、実技試験はないこともあるようです。専門試験の出題科目や面接の形式、回数なども自治体により違いますので、必ずご自身で確認してください。

第1部

専門科目

おさえよう！

保育原理の厳選ポイント

保育に関わる歴史的人物

人　物	キーワード	主な著書
ルソー（フランス）	子ども観を根本的に変革、「子どもの発見者」、子どもの発達段階に応じた教育	『エミール』
オーベルラン（ドイツ）	フランスで世界最古の保育施設（「編み物学校」）を創設	—
オーエン（イギリス）	スコットランドの紡績工場に「性格形成学院」を創設、2～5歳の幼児は「幼児学校」	『新社会観―性格形成論―』
フレーベル（ドイツ）	世界初の幼稚園「キンダーガルテン」を創設（1840年）、恩物、「遊びの発見者」	『人間の教育』
エレン・ケイ（スウェーデン）	女性思想家、児童中心主義運動	『児童の世紀』
モンテッソーリ（イタリア）	モンテッソーリ教具を考案、「子どもの家」、女性医学博士、「敏感期の理論」	『モンテッソーリ・メソッド』
倉橋惣三（日本）	児童中心主義の「誘導保育論」、東京女子師範学校附属幼稚園主事	『育ての心』、『幼稚園真諦』

「教育原理」「子ども家庭福祉」など他の科目もあわせて確認しましょう

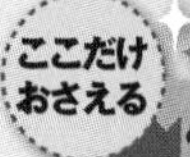

保育所保育に関する基本原則〔保育所保育指針第１章総則〕

保育所は児童福祉法に基づく児童福祉施設である。「保育所保育指針」には、保育所における保育の内容や関連する運営に関する事項が定められている。

（1）保育所の役割	保育を必要とする乳幼児の保育／個人差への配慮／子どもの最善の利益を考慮する／環境を通して養護及び教育を一体的に行う／保護者支援
（2）保育の目標	子どもが現在を最も良く生き、望ましい未来をつくり出す基礎を培う
（3）保育の方法	一人一人の子どもの状況への理解／個人差への配慮／子ども相互の関係づくり／子どもの主体的な活動／保護者理解と支援
（4）保育の環境	人的環境／物的環境／自然や社会の事象
（5）保育所の社会的責任	人権への配慮／人格の尊重／地域社会や保護者との連携

保育内容や制度に関する年表

1872（明治 5）年	「学制」公布
1876（明治 9）年	東京女子師範学校附属幼稚園開設
1890（明治 23）年	「教育勅語」、赤沢鍾美（あつとみ）が「新潟静修学校」を創設
1899（明治 32）年	「幼稚園保育及設備規程」公布（文部省令）
1900（明治 33）年	野口幽香（ゆか）、森島峰（みね）が東京に「二葉幼稚園」を開設
1947（昭和 22）年	「教育基本法」「児童福祉法」「学校教育法」公布
1948（昭和 23）年	「保育要領」発刊（文部省）
1956（昭和 31）年	「幼稚園教育要領」刊行（文部省）
1965（昭和 40）年	保育所保育のガイドライン「保育所保育指針」制定
1989（平成元）年	国連総会において「児童の権利に関する条約」採択（日本は 1994 年批准）。「幼稚園教育要領」改訂
1990（平成 2）年	「保育所保育指針」改定（同年施行）：保育内容 5 領域
1999（平成 11）年	「保育所保育指針」改定（翌年施行）：子どもの最善の利益、保育士の専門性と倫理観
2008（平成 20）年	「保育所保育指針」改定（厚生労働省告示）（翌年施行）：小学校との連携、保護者支援
2014（平成 26）年	「幼保連携型認定こども園教育・保育要領」告示（内閣府、文部科学省、厚生労働省）（翌年施行）
2015（平成 27）年	「子ども・子育て支援新制度」施行
2017（平成 29）年	「保育所保育指針」改定、「幼稚園教育要領」「幼保連携型認定こども園教育・保育要領」改訂（すべて翌年施行）
2023（令和 5）年	「こども家庭庁」発足。「こども基本法」施行

こども基本法

次代の社会を担う全てのこどもが将来にわたって幸せな生活を送ることができる社会の実現を目指して「こども基本法」が施行された。

こども施策（社会全体で取り組むこどもや若者に関する施策）
1　大人になるまで切れ目なく行われるこどもの健やかな成長のための支援
2　子育てに伴う喜びを実感できる社会の実現のための支援
3　家庭における養育環境やその他のこどもの養育環境の整備

ここでいう「こども」とは、「心身の発達の過程にある者」をいう。またこども施策は、6 つの基本理念をもとに行われる。

保育原理

No. 1 **「保育所保育指針」第１章「総則」1「保育所保育に関する基本原則」(1)「保育所の役割」の記述として、最も妥当なのはどれか。**

1　保育所は、保育に欠ける子どもの保育を行い、その健全な心身の発達を図ることを目的とする学校である。

2　保育所は、保護者の最善の利益を考慮し、その福祉を積極的に増進することに最もふさわしい生活の場でなければならない。

3　保育所は、養護及び養育を一体的に行うことを特性としている。

4　保育所は、入所する子どもの保護者に対する支援のみ行う役割を担うものである。

5　保育所における保育士は、子どもを保育するとともに、子どもの保護者に対する保育に関する指導を行うものである。

解説

1×　「保育に欠ける子ども」の部分は、「保育を必要とする子ども」、また、「学校」の部分は、正しくは「児童福祉施設」である。

2×　「保護者の最善の利益」の部分は、正しくは「入所する子どもの最善の利益」である。「子どもの最善の利益」については、「児童の権利に関する条約（子どもの権利条約）」第３条第１項に定められている。大人の利益が優先されることへの牽制や、子どもの人権を尊重することの重要性を表している。

3×　「養護及び養育」の部分は、正しくは「養護及び教育」である。

4×　「入所する子どもの保護者に対する支援のみ行う」の部分は、正しくは「入所する子どもの保護者に対する支援及び地域の子育て家庭に対する支援等を行う」である。

5○　同「保育所の役割」エの記述である。

（答　5）

No.2 **次の文は、「保育所保育指針」第１章「総則」1「保育所保育に関する基本原則」(2)「保育の目標」の一部である。（　A　）～（　E　）にあてはまる語句の組み合わせとして、妥当なのはどれか。**

(ア) 十分に（　A　）の行き届いた環境の下に、くつろいだ雰囲気の中で子どもの様々な欲求を満たし、生命の保持及び（　B　）を図ること。

(イ) 健康、安全など生活に必要な基本的な習慣や態度を養い、（　C　）の健康の基礎を培うこと。

(ウ) 人との関わりの中で、人に対する愛情と信頼感、そして人権を大切にする心を育てるとともに、自主、自立及び（　D　）の態度を養い、（　E　）の芽生えを培うこと。

	(A)	(B)	(C)	(D)	(E)
1	養護	情緒の安定	身体	協調	道徳性
2	養護	技能の安定	心身	抑制	規範意識
3	管理	情緒の安定	身体	協調	道徳性
4	養護	技能の安定	身体	抑制	規範意識
5	養護	情緒の安定	心身	協調	道徳性

解説

保育所は、子どもの生涯にわたる人間形成にとって大変重要な時期に、その生活時間の多くを過ごす場である。このため、子どもの保育については、「子どもが現在を最も良く生き、望ましい未来をつくり出す力の基礎を培う」と示された保育の目標を踏まえ、資質・能力を一体的に育むよう努めるものとしている。(A)～(E)は次のとおりである。

A　養護　　B　情緒の安定　　C　心身　　D　協調　　E　道徳性

答　5

No. 3 「保育所保育指針」第１章「総則」1「保育所保育に関する基本原則」(3)「保育の方法」の留意点として妥当なものはどれか。

1　子どもが主体性を発揮できるよう、保育士は、子どもの思いや願いを受け止め、一人一人が安心感と信頼感をもって活動できるよう配慮する。

2　保育所における子どもの生活は長時間にわたるため、集団生活に慣れるよう生活リズムを整えることを優先する必要がある。

3　乳幼児期の発達の特性や道筋をふまえ、一人一人の発達状況を確認しながら保育を行う必要がある。発育の目安となる月齢や年齢とズレがあった場合、直ちに異常を疑うべきである 。

4　一人一人の個性を尊重するために、集団で行う活動はなるべく減らし、子どもが自由に行動できる環境を整える必要がある。

5　保育士は、子どもが身に付けるべきことが体験できるような遊びを計画し、子どもの成長を促すことが求められている。

解説

1○　保育士が子どもの思いや願いを受け止めることで、子どもは安心感や信頼感をもって活動し、主体性を発揮できるようになっていく。

2×　保育所における子どもの生活は長時間にわたるため、一人一人の生活リズムを大切にし、安心感をもって、落ち着いて行動できるように配慮する。

3×　乳幼児期の発達の特性や道筋を理解するとともに、一人一人の発達過程と個人差に配慮しながら保育を行うことが大切である。

4×　個と集団の育ちは相反するものではなく、子ども相互の関係づくりや互いに尊重する心を大切にしながら保育を行う必要がある。

5×　保育士等は、子どもが乳幼児期にふさわしい体験が得られるように、子どもの実態や状況に即して保育を行うことが大切である。

（答　1）

No.4 「保育所保育指針」第１章「総則」1「保育所保育に関する基本原則」(4)「保育の環境」の内容として、最も妥当なのはどれか。

1 保育の環境には、保育士等や子どもなどの人的環境、施設や遊具などの物的環境、更には自然や社会の事象などがあり、なかでも物的環境が重要である。

2 保育の基本は、環境を通して行うことにある。特に、入園直後は保育士が考えた望ましい活動を経験できるような環境を構成することが求められる。

3 保育士は、子どもの発達過程や生活の実態を考慮し、保育所が常時、生き生きと活動できる場となるように配慮することが求められる。

4 保育士は、子どもの活動が豊かに展開されるよう、保育所の設備や環境を整え、保健的環境や安全の確保などに努めなければならない。

5 子どもが人と関わる力を育てていくため、保育所職員や地域の様々な人など、大人との関わりが促されるような環境を構成するべきである。

解説

1× 保育所は、「物的環境」だけでなく、様々な環境が相互に関連し合い、子どもの生活が豊かなものとなるよう、計画的に環境を構成し、工夫して保育することが重要である。

2× 子どもの安心できる場や興味・関心は、一人一人異なることから、選択肢のある多様な環境を準備することが望ましい。子ども自らが環境に関わり、自発的に活動したくなるような、魅力ある環境を構成することが大切である。

3× 保育所は、子どもが「生き生きと活動できる場」であるとともに、「温かな親しみとくつろぎの場」となるよう、動と静のバランスを考えた環境を保障することが求められる。

4○ 子どもの健康と安全を守ることは、保育所の基本であり、全職員の最重要責務である。

5× 「大人との関わり」だけでなく、子どもは身近な子どもや大人の影響を受けて育つことから、同年齢や異年齢の他の子どもと関わることのできる環境を整えることも大切である。

（答 4）

No. 5 **「保育所保育指針」第1章「総則」1「保育所保育に関する基本原則」(5)「保育所の社会的責任」の記述として、最も妥当なのはどれか。**

1　保育所は、保護者の人権に十分配慮すること。

2　保育所は、子ども一人一人の学力を保障して保育を行うこと。

3　保育所は、地域の小学校との交流や連携を図り、保護者や地域の小学校に、当該保育所が行う保育の内容を適切に説明するよう努めること。

4　保育所は、入所する子ども等の個人情報をいかなる場合においても秘密保持すること。

5　保護者の苦情などに対し、その解決を図るよう努めること。

解説

保育所への期待が高まっている今日、保育所が子育て家庭や地域社会に対してその役割を確実に果たしていくことは、保育所の社会的使命であり責任でもある。その際、「子どもの人権の尊重」、「地域交流と説明責任」、「個人情報の保護と苦情解決」という3つの事項を特に遵守しなければならない。

1× 「保護者」の部分は、正しくは「子ども」である。

2× 「学力を保障」の部分は、正しくは「人格を尊重」である。

3× 「地域の小学校」の部分は、正しくは「地域社会」である。

4× 「いかなる場合においても秘密保持する」の部分は、正しくは「適切に取り扱う」である。「児童虐待の防止等に関する法律（児童虐待防止法）」の通告義務など、個人情報の提供が守秘義務より優先されることもある。

5○ 同「保育所の社会的責任」ウの記述である。保育所は、苦情を通して自らの保育や保護者対応等を謙虚に振り返り、保護者等の意向を受け止めながら、保育所の考えや保育の意図を説明したり、改善や努力の意思を表したりすることが必要である。そして、保護者等と相互理解を図り、信頼関係を築くことが重要である。

（答　5）

No.6 「保育所保育指針」第1章「総則」2「養護に関する基本的事項」に関する記述について、空欄にあてはまる語句の組み合わせとして、妥当なのはどれか。

(1) 一人一人の子どもが、(A)に過ごせるようにする。
(2) 一人一人の子どもの(B)が、十分に満たされるようにする。
(3) 一人一人の子どもが、(C)を持って過ごせるようにする。
(4) 一人一人の子どもが、周囲から主体として(D)、主体として育ち、自分を(E)気持ちが育まれていくようにする。

	(A)	(B)	(C)	(D)	(E)
1	意欲的	基本的欲求	満足感	認められ	肯定する
2	健康で安全	生理的欲求	安定感	受け止められ	肯定する
3	意欲的	生理的欲求	安定感	認められ	信頼する
4	健康で安全	基本的欲求	満足感	受け止められ	肯定する
5	健康で安全	生理的欲求	安定感	受け止められ	信頼する

解説

養護に関わるねらいは、第1章「総則」1「保育所保育に関する基本原則」の(2)「保育の目標」アの「(ア) 十分に養護の行き届いた環境の下に、くつろいだ雰囲気の中で子どもの様々な欲求を満たし、生命の保持及び情緒の安定を図ること」を具体化したものである。(1)、(2)は「生命の保持」に関わるもの、(3)、(4)は「情緒の安定」に関わるものとして示されている。乳幼児期に人との相互的な関わりから自己肯定感が育まれていくのは、子どもの将来にわたる心の成長の基盤を培うこととして重要である。(A)～(E)は次のとおり。

A 健康で安全
B 生理的欲求
C 安定感
D 受け止められ
E 肯定する

(答 2)

No.7 「保育所保育指針」第１章「総則」３「保育の計画及び評価」の記述として、妥当でないのはどれか。

1　保育所は、保育の目標を達成するために、各保育所の保育の方針や目標に基づき、子どもの発達過程を踏まえて、保育の内容が組織的・計画的に構成され、保育所の生活の全体を通して、総合的に展開されるよう、全体的な計画を作成しなければならない。

2　全体的な計画は、子どもや家庭の状況、地域の実態、保育時間などを考慮し、子どもの育ちに関する長期的見通しをもって適切に作成されなければならない。

3　全体的な計画は、保育所保育の全体像を包括的に示すものとし、これに基づく指導計画、保健計画、食育計画等を通じて、施設長によって作成されなければならない。

4　保育所は、評価の結果を踏まえ、当該保育所の保育の内容等の改善を図ること。

5　保育の計画に基づく保育、保育の内容の評価及びこれに基づく改善という一連の取組により、保育の質の向上が図られるよう、全職員が共通理解をもって取り組むことに留意すること。

解説

保育の計画は、子どもの発達過程や日々の状況、個人差に配慮しながら長期的視野を持って進めていくことが必要である。

1○　現行の「保育所保育指針」より、「保育課程」から「全体的な計画」へと用語が変更になっている。

2○　3「保育の計画及び評価」(1)「全体的な計画の作成」イの一文として適切である。

3×　「施設長によって」の部分は、正しくは「各保育所が創意工夫して保育できるよう」である。施設長の責任下で全職員によって作成されることが重要である。

4○　同（5）「評価を踏まえた計画の改善」アの一文である。

5○　同（5）「評価を踏まえた計画の改善」イの一文として適切である。自己の保育の振り返りを通じて保育の質の向上に努めることが大切である。

（答　3）

No.8 次の文は、「保育所保育指針」第１章「総則」４「幼児教育を行う施設として共有すべき事項」の（１）育みたい資質、能力に関する記述である。（　A　）～（　D　）にあてはまる語句の正しい組み合わせとして、妥当なのはどれか。

保育所においては、生涯にわたる生きる力の基礎を培うため、次に掲げる資質・能力を（　A　）に育むよう努めるものとする。

（ア）　豊かな（　B　）を通じて、感じたり、気付いたり、分かったり、できるようになったりする「（　C　）及び技能の基礎」

（イ）　気付いたことや、できるようになったことなどを使い、考えたり、試したり、工夫したり、表現したりする「思考力、判断力、（　D　）等の基礎」

（ウ）　心情、（　E　）、態度が育つ中で、よりよい生活を営もうとする「学びに向かう力、人間性等」

	(A)	(B)	(C)	(D)	(E)
1	一体的	体験	知識	表現力	意欲
2	一体的	経験	意識	表現力	常識
3	確実	体験	学力	表現力	常識
4	一体的	遊び	学力	創造性	意欲
5	確実	経験	知識	想像力	気持ち

解説

保育所においては、保育所の生活の全体を通して、子どもに生きる力の基礎を培うことが求められている。そのため、「保育所保育指針」第１章「総則」１の（2）に示す保育の目標を踏まえ、小学校以降の子どもの発達を見通しながら保育活動を展開し、保育所保育において育みたい資質・能力を育むことが大切である。なお、資質・能力は、第２章保育の内容に示すねらい及び内容に基づき、各保育所が子どもの発達の実情や子どもの興味や関心等を踏まえながら展開する保育活動全体によって育まれていくものとされている。（A）～（D）は次のとおり。

A　一体的　　B　体験　　C　知識　　D　表現力　　E　意欲

（答　1）

No. 9 **次の項目は、「保育所保育指針」第１章「総則」４「幼児教育を行う施設として共有すべき事項」(2)「幼児期の終わりまでに育ってほしい姿」からの抜粋である。内容の記述として、妥当なものはどれか。**

1　健康な心と体　日課にマラソンを取り入れることで強い体と最後までやり遂げる心を育てることができる。

2　協同性　友達と協力して物事に取り組めるよう、周りの人のことも考え、自制することも身に付けていかなければならない。

3　思考力の芽生え　小学校での学習に興味や関心がもてるよう、思考力の芽生えとしてひらがなや数を教えておくことは有効である。

4　自然との関わり・生命尊重　身近な自然と触れ合う直接的な体験を重ねながら、自然に対する気づきや動植物への親しみを感じる中で育まれていく。

5　言葉による伝え合い　言葉は人とコミュニケーションをとる上で大切なものであり、正しく使えるようにするべきである。

解説

1×　健康な心と体は、他者との信頼関係の下で、自分のやりたいことに取り組む中で育っていく。また子どもの主体的な遊びを大切にするべきであり、強制的に取り組ませるものではない。

2×　協同性は、保育士等との信頼関係を基盤にして、お互いに思いを伝え合ったり試行錯誤したりしながら一緒に活動する楽しさや、共通の目的を実現させる喜びを味わうことで育まれていく。

3×　思考力の芽生えは、周囲の環境に好奇心をもって積極的に関わりながら、子どもが不思議さや面白さを感じたり、工夫したりできるような遊びや生活を通して育む必要がある。

4○　自然との関わり・生命尊重は、自然に触れて感動する体験を通して、身近な事象に関心が高まるとともに、自然に対する愛情や畏敬の念、また生命に対するいたわりの心をもつようになる。

5×　言葉による伝え合いは、身近な親しい人との関わりを通して言葉のやりとりの楽しさを感じたり、豊かな言葉や表現に触れたりする中で育まれていく。

（答　4）

No. 10 「保育所保育指針」第２章「保育の内容」１「乳児保育に関わるねらい及び内容」(3)「保育の実施に関わる配慮事項」の記述として、最も妥当なのはどれか。

1　乳児は疾病への抵抗力が弱く、疾病の発生が多いことから、一般的な乳児の健康状態を十分に把握し、適切な判断を行うこと。

2　一人一人の子どもの生育歴の違いに留意しつつ、欲求を適切に満たし、複数の保育士が応答的に関わるように努めること。

3　月齢に応じて授乳を行い、離乳を進めていく中で、様々な食品に少しずつ慣れ、食べることを楽しむよう援助すること。

4　担当の保育士が替わる場合には、子どものそれまでの生育歴や発達過程に留意し、職員間で協力して対応すること。

5　保護者との信頼関係を築きながら保育を進めるとともに、保育方針の理解を求めること。

解説

この時期は個人差が大きいため、個人差に注目し対応すること、また保護者との連携が必要である。

1×　「一般的な乳児の健康状態」の部分は、正しくは「一人一人の発育及び発達状態や健康状態」である。

2×　「複数の保育士」の部分は、正しくは「特定の保育士」である。

3×　「保育所保育指針」第２章「保育の内容」１「乳児保育に関わるねらい及び内容」(2)「ねらい及び内容」のア「健やかに伸び伸びと育つ」の（イ）の記述内容である。離乳は個人差が大きいため、月齢のみで判断し進めていくものではない。「月齢に応じて」の部分は、正しくは「個人差に応じて」である。

4○　記述のとおりである。

5×　保護者支援が重要視されており、「保育方針の理解を求めること」の部分は、正しくは「保護者からの相談に応じ、保護者への支援に努めていくこと」である。

（答　4）

No. 11 **「保育所保育指針」第2章「保育の内容」2「1歳以上3歳未満児の保育」のうちの領域ごとの (2)「ねらい及び内容」(ウ)「内容の取扱い」の記述について、最も妥当なのはどれか。**

1 健康な心と体を育てるためには望ましい食習慣の形成が重要であることを踏まえ、偏食をなくしたり、食事のマナーが身につくよう指導したりする。

2 思い通りにいかない場合等の子どもの不安定な感情の表出については、子どもが自ら気持ちの切り替えができるよう促す。

3 玩具などは、音質、形、色、大きさなど子どもの発達状態に応じて適切なものを選び、感覚の発達が促されるように繰り返し練習すること。

4 この時期は、片言から、二語文、ごっこ遊びでのやり取りができる程度へと、大きく言葉の習得が進む時期であることから、それぞれの子どもの発達の状況に応じて、遊びや関わりの工夫など、保育の内容を適切に展開することが必要である。

5 子どもが自分の力でやり遂げる充実感などに気付くよう、保育士等は積極的に援助し、気付きを促すようにする。

解説

1× 「偏食をなくしたり、食事のマナーが身につくよう指導したりする」ことが誤り。食事は、「ゆったりとした雰囲気の中で食べる喜びや楽しさを味わい、進んで食べようとする気持ちが育つようにすること」が重要である。

2× 「子どもが自ら気持ちの切り替えができるよう促す」が誤り。保育士等は、子どもの気持ちを受容的に受け止め、子どもが不安定な感情から立ち直る経験や感情をコントロールすることへの気付き等につなげていけるよう援助する。

3× 「感覚の発達が促されるように繰り返し練習すること」が誤り。子どもは興味ある玩具を使った遊びを通し、豊かな感性や身体的機能の発達が促されていく。

4○ 領域「言葉」(ウ)「内容の取扱い」③に記されている。

5× 「保育士等は積極的に援助し、気付きを促すようにする」が誤り。子どもが自らの興味や関心に基づいて、自分の力で取り組み、表現しようとする過程を温かく見守り、適切に援助することが、子どもの充実感につながる。

(答 4)

No. 12 「保育所保育指針」第3章「健康及び安全」1「子どもの健康支援」の記述として、最も妥当なのはどれか。

1　子どもの心身の状態等を観察し、不適切な養育の兆候が見られる場合には、担当保育士のみで対応するのではなく、会議を通して主任保育士等に相談すること。

2　保育中に体調不良や傷害が発生した場合には、その子どもの状態等に応じて、保護者に連絡する。

3　感染症やその他の疾病の発生予防に努め、その発生や疑いがある場合には、保護者に連絡し、その指示に従う。

4　子どもの心身の健康状態や疾病等の把握のために、担当保育士等により定期的に健康診断を行い、その結果を記録し、保育に活用すること。

5　食物アレルギーに関して、保育所に勤めるすべての職員が連携して、当該保育所の体制構築など、安全な環境の整備を行うこと。

解説

子どもの疾病等には、保護者はもちろん、嘱託医や看護師、あるいは地域の関係機関等との連携が重要である。

1×　「保育所保育指針」第3章「健康及び安全」1「子どもの健康支援」(1)「子どもの健康状態並びに発育及び発達状態の把握」の記述である。「担当保育士のみで対応するのではなく、会議を通して主任保育士等に相談すること」の部分は、正しくは、「市町村や関係機関と連携し、児童福祉法第25条に基づき、適切な対応を図ること」である。

2○　同(3)「疾病等への対応」アの記述である。

3×　同(3)「疾病等への対応」イによると、「保護者」の部分は、正しくは「必要に応じて嘱託医、市町村、保健所等」である。

4×　同(2)「健康増進」イの記述である。「担当保育士等」の部分は、正しくは「嘱託医等」である。

5×　同(3)「疾病等への対応」ウの記述である。「保育所に勤めるすべての職員が連携して」の部分は、正しくは、「関係機関と連携して」である。

（答　2）

No. 13 **「保育所保育指針」第４章「子育て支援」に関する記述として、最も妥当なのはどれか。**

1　日常の保育に関連した様々な機会を活用し子どもの日々の様子の伝達や収集、保育所保育の意図の説明などを通じて、保護者との相互理解を図るよう努めること。

2　保護者の就労と子育ての両立等を支援するため、保護者の多様化した保育の需要に応じ、病児保育事業など多様な事業を実施する場合には、保護者の状況に配慮するとともに、保護者の権利が尊重されるよう努め、子どもの生活の連続性を考慮すること。

3　子どもに障害や発達上の課題が見られる場合には、都道府県や関係機関と連携及び協力を図りつつ、保護者に対する個別の支援を行うよう努めること。

4　母子・父子家庭など、特別な配慮を必要とする家庭の場合には、状況等に応じて個別の支援を行うよう努めること。

5　保護者に対する子育て支援における地域の小学校等との連携及び協働を図り、保育所全体の体制構築に努めること。

解説

第１章「総則」1「保育所保育に関する基本原則」(1)「保育所の役割」にも示されているように、保育所は入所する子どもの保育と同時に**保護者に対する子育て支援及び地域の子育て家庭に対する支援を行う役割**を担っている。

1○　同第４章「子育て支援」2「保育所を利用している保護者に対する子育て支援」(1)「保護者との相互理解」のアの一文として正しい。

2×　「保護者の権利」が誤り。正しくは「子どもの福祉」である。**保育所は、子どもにとって最もふさわしい生活の場でなければならない。**

3×　「都道府県」ではなく「市町村」である。同第４章２(2)「保護者の状況に配慮した個別の支援」の一文。

4×　「母子・父子家庭」ではなく、「外国籍家庭」である。2018（平成30）年に施行された現行の「保育所保育指針」より追加された項目。

5×　「小学校」ではなく「関係機関」である。同第４章１(2)「子育て支援に関して留意すべき事項」の一文。

（答　1）

No. 14 保育に関する次の記述のうち、妥当でないのはどれか。

1　保育士は、児童福祉法第18条の4に定められている国家資格である。

2　保育士とは、専門的知識及び技術をもって、児童の保育及び児童の保護者に対する保育に関する指導を行うことを業とする者をいう。

3　2003（平成15）年から、保育士が法定資格となるとともに、保育士の業務は子どもの保育指導であるとされた。

4　保育所は、質の高い保育を展開するため、絶えず、一人一人の職員についての資質向上及び職員全体の専門性の向上を図るよう努めなければならない。

5　保育の更なる質の向上を目指し、「全国保育士会倫理綱領」が定められている。

解説

保育ニーズの多様化に対応するための様々な特別保育の実施、家庭の養育力の低下により入所している子どもの保護者への支援及び地域における子育て支援、保護者への保育に関する指導など、保育所の役割や機能が多様化する中で、職員の質の向上が求められている。

1○　保育士は名称独占の国家資格であり、保育士登録は都道府県にて行う。また、指定保育士養成施設の指定及び監督に係る事務についても都道府県が行う。

2○　児童福祉法第18条の4に定められている。

3×　保育士の業務に、子どもの保育だけでなく、子育ての基盤となる家庭の機能が低下していることから、「保護者への保育に関する指導」が新たに追加された。

4○　「保育所保育指針」第5章「職員の資質向上」に示されている。

5○　子どもの最善の利益の尊重など8項目が示されている。

（答　3）

No. 15 「保育所保育指針」第５章「職員の資質向上」に関する記述のうち、妥当でないのはどれか。

1　施設長は、専門性等の向上に努め、保育の質及び職員の専門性向上のために必要な環境の確保に努めなければならない。

2　職員には、日々の保育実践を通じて、必要な知識及び技能の修得、維持及び向上を図ることが求められる。そのため、職場内での研修の充実が図られなければならない。

3　保育所においては、保育の課題や職員のキャリアパスも見据えた研修計画を作成しなければならない。

4　各職員は、自己評価に基づく課題等を踏まえ、保育所内外の研修等に参加し、それぞれの職位や職務内容等に応じて、必要な知識及び技能を身につけられるよう努めなければならない。

5　子どもの最善の利益を考慮し、人権に配慮した保育を行うためには、職員一人一人の価値観、人間性並びに保育所職員としての職務及び責任の理解と自覚が基盤となる。

解説

1○　施設長には、保育所の全体的な計画や、各職員の研修の必要性等を踏まえて、体系的・計画的な研修機会を確保するとともに、職員の勤務体制の工夫等により、職員が計画的に研修等に参加し、その専門性の向上が図られるように努めることが求められる。

2○　保育所全体の保育の質の向上を図っていくためには、日常的に職員同士が主体的に学び合う姿勢と環境が重要である。

3○　初任者から管理職員までの体系的な研修計画の作成が必要である。

4○　保育所職員として、保育士・看護師・調理員・栄養士等、それぞれの職務内容に応じた専門性を高めることが必要である。

5×　「価値観」ではなく、「倫理観」である。保育士等の言動が子どもあるいは保護者に大きな影響を与えることから、特に高い倫理性が求められる。倫理性の具体的な内容は、「全国保育士会倫理綱領」を参照のこと。

（答　5）

No. 16 1歳以上3歳未満児の保育に関する記述のうち、妥当なのはどれか。

1　食事や着替えなどの基本的生活習慣に興味や関心を向け、自分でやってみようとするが、できないことが多いので、保育士等がやってあげると良い。

2　思い通りにならないことに怒ったり悲しんだりというように不安定な気持ちが表れたときは、子どもは自分の気持ちを言葉にすることができないので聞く必要はなく、保育士等は気持ちの切り替えをさせると良い。

3　子どもが旺盛な探索意欲をもって環境に関わり発見や感動したことに対して、保育士等が共感することで、子どもは自信をもって遊びを展開していく。

4　語彙が増えていく時期なので、正しい言葉を話せるよう練習すると良い。

5　この時期の子どもは、まだあまり遊びを継続させられないので、遊びの時間を長くとる必要はない。

解説

1×　基本的生活習慣について、最初はできないことも多いが、保育士等は温かく見守り、子どもの思いやペースを大切にしながら丁寧に関わると良い。

2×　保育士等は単純に気持ちの切り替えを促すのではなく、子どもの感情を受容的に受け止め、「○○が嫌だったんだね」、「△△されて悲しかったね」など子どもの気持ちを言葉にしながら、子どもが自分の気持ちに向き合えるよう対応すると良い。

3○　子どもが発見したり感動したりしたことに対して保育士等も共感することにより、子どもは自信をもって遊べるようになっていく。

4×　単純に正しい言葉を話せるように練習すれば良いということではなく、言葉の奥にある子どもの思いをくみ取って言葉にしたり、保育士等の思いを伝えたりすることで、言葉が豊かになっていく。

5×　この時期の子どもなりに発見したり、試行錯誤したりできるように、遊びこむ時間がしっかりと確保されていることも必要である。

（答　3）

No. 17 次の【Ⅰ群】は、ある保育所の園だよりに示された保育の目標である。「保育所保育指針」第2章「保育の内容」に照らし、【Ⅰ群】の記述と【Ⅱ群】の項目の組み合わせとして、妥当なのはどれか。

【Ⅰ群】

A　自分のイメージを膨らませ、はさみやクレヨンなどを使って描いたり作ったり、作ったもので遊ぶことができる。

B　保育者と遊びや生活の中で楽しく関わり、言葉で表現する楽しさを味わう。

C　気温や湿度などに配慮しながら、心地よい環境の中で生活する。

【Ⅱ群】

ア　乳児保育に関わるねらい及び内容

イ　1歳以上3歳未満児の保育に関わるねらい及び内容

ウ　3歳以上児の保育に関するねらい及び内容

（組み合わせ）

1　A—ア　B—ウ　C—イ

2　A—イ　B—ウ　C—ア

3　A—ウ　B—ア　C—イ

4　A—ウ　B—イ　C—ア

5　A—ア　B—イ　C—ウ

解説

Aウ　「保育所保育指針」第2章「保育の内容」3「3歳以上児の保育に関するねらい及び内容」(2) オに、「感じたことや考えたことを自分なりに表現することを通して、豊かな感性や表現する力を養い、創造性を豊かにする。」と記載がある。

Bイ　同2「1歳以上3歳未満児の保育に関わるねらい及び内容」(2) エに、「経験したことや考えたことなどを自分なりの言葉で表現し、相手の話す言葉を聞こうとする意欲や態度を育て、言葉に対する感覚や言葉で表現する力を養う。」とある。

Cア　同1「乳児保育に関わるねらい及び内容」(2) アに「健康な心と体を育て、自ら健康で安全な生活をつくり出す力の基盤を培う。」と示されている。

（答　4）

No.18 わが国の保育の歴史に関する記述として、最も妥当なのはどれか。

1 1872（明治 5）年に「学制」が公布されるとともに、幼稚小学校が設置された。

2 1876（明治 9）年にモンテッソーリの幼児園を模した東京女子師範学校附属幼稚園が開設された。

3 1890（明治 23）年に赤沢鍾美が「新潟静修学校」でわが国初の託児事業を始めた。最初は鍾美の妻・仲子とその助手が、働く母親が連れてきた幼児の保育にあたった。

4 1926（大正 15）年、「幼稚園令」が公布され、幼稚園の目的に「家庭教育を補う」ことが示された。

5 1948（昭和 23）年、厚生省は「保育要領－幼児教育の手引き」を編纂・刊行し、幼稚園、保育所、家庭における幼児教育のあり方を解説した。

解説

1× 1872（明治 5）年に公布された「学制」には「幼稚小学」の規定はあったが、実際には幼稚小学校は設置されなかった。

2× 東京女子師範学校附属幼稚園はフレーベルの幼稚園を模した附属幼稚園である。

3× 赤沢鍾美（あつとみ）が「新潟静修学校」の託児事業を始めると、まずは生徒たちが連れてきた乳幼児の保育にあたった。やがて、働く母親が連れてきた幼児の保育も委託されるようになった。

4○ わが国初の幼稚園に関する単独の勅令（ちょくれい）である。同時に「幼稚園令施行規則」も公布された。

5× 「保育要領－幼児教育の手引き」を編纂・刊行したのは文部省である。

（答 4）

No. 19 **次のA～Eの文章と関連のある人物ア～オの組み合わせとして、最も妥当なのはどれか。**

A　創造的な遊びを育てるための遊具である恩物の製作・普及に努めた。1840年には、世界最初の幼稚園を創設した。

B　紡績工場の経営に従事し、そこに世界最初の保育所と言われる幼児学校を設立した。この幼児学校では、子どもの健康を維持するために、戸外での活動が取り入れられた。

C　エミールという架空の男の子の誕生から結婚に至るまでの発達段階に応じた教育について論じた著書『エミール』がある。

D　子どもの知性は手を使うことで発達すると考え、子ども自らが手を使った作業をするための教具を開発した。ローマのスラム街に「子どもの家」を建て、自ら開発した教具を取り入れた教育を行った。

E　1900年に『児童の世紀』を著し、国家主義に基づく近代の公教育制度のあり方を批判し、子ども中心主義に基づく教育改革の必要性を説いた。

〔人物〕

ア　ルソー
イ　エレン・ケイ
ウ　フレーベル
エ　モンテッソーリ
オ　オーエン

（組み合わせ）

1　A－ア　B－イ　C－エ　D－ウ　E－オ
2　A－ウ　B－エ　C－ア　D－オ　E－イ
3　A－ウ　B－オ　C－ア　D－エ　E－イ
4　A－エ　B－イ　C－ア　D－ウ　E－オ
5　A－エ　B－オ　C－ア　D－ウ　E－イ

解説

Aウ　恩物の製作・普及に努め、1840 年、世界最初の幼稚園をドイツに創設したのは、フレーベル（1782 － 1852）である。恩物とは、幼児教育の教材・遊具であり、明治期には日本にも紹介され、日本の保育内容に取り入れられた。

Bオ　1816 年、紡績工場に世界最初の保育所と言われている幼児学校（「性格形成学院」）を設立したのは、オーエン（1771 － 1858）である。幼児学校では、五感を通して感じ取ることが強調され、のびのびとした環境のなかで幼児の自発的で自由な活動が重視された。

Cア　『エミール』を著したのは、ルソー（1712 － 1778）である。彼は、子どもの発達段階に適合した教育を与えるよう説いた。他に、『社会契約論』『人間不平等起源論』も著した。

Dエ　子ども自らが手を使った作業をするための教具を開発したのは、モンテッソーリ（1870 － 1952）である。それらは「感覚教具」や「モンテッソーリ教具」などと呼ばれ、現在も使用されている。

Eイ　『児童の世紀』を著したのは、スウェーデンの女性運動家のエレン・ケイ（1849 － 1926）である。彼女はその著書のなかで、児童中心主義を第一に掲げた「子どもの権利」論を説いた。

（答　3）

check

●保育原理のその他の重要人物

デューイ（アメリカ）	シカゴ大学附属学校（実験学校）開設（1896 年）、問題解決学習、プラグマティズム
ロンゲ夫妻	イギリス最初の幼稚園（1851 年）
シュルツ婦人	アメリカ最初の幼稚園（1856 年）
コメニウス（チェコ）	『世界図絵』世界最初の絵入り教科書（1658 年）
マクミラン姉妹（イギリス）	貧民地区に「保育学校」を創設（1914 年）

他にも重要な人物が「保育原理の厳選ポイント（p.8）」「教育原理の厳選ポイント（p.41）」にもまとめられています。あわせてチェックしましょう。

No. 20 子ども・子育て支援新制度に関する次の記述のうち、妥当なのはどれか。

1　この制度は、すべての家庭が利用できるようサービスの多様化を図り、量の拡大により子育てを支えるためにつくられた制度である。

2　この制度は、「児童福祉法」、「認定こども園法の一部改正」、「子ども・子育て支援法及び認定こども園法の一部改正法の施行に伴う関係法律の整備等に関する法律」の子ども・子育て関連３法に基づいている。

3　この制度により、日中子どもを預けられる施設は、認定こども園、幼稚園、保育所の３種類がある。施設の利用にあたっては、市町村より認定（1号認定、2号認定、3号認定）を受ける必要がある。

4　地域における子育て支援ニーズへの対応として、「利用者支援」、「放課後児童クラブ」など、様々な子ども・子育て支援事業を行っている。

5　この制度は、認定こども園の普及を図ったり、待機児童対策として地域型保育を新設し、0～3歳の子どもの保育の場を増やしたりしている。

解説

1×　2015（平成27）年に施行された、量と質の両面から子育てを支えるためにつくられた制度である。すべての家庭が利用できる支援を目指すとともに、支援の質を高めるために幼稚園、保育所、認定こども園の職員配置の改善や、職員の処遇改善等が図られている。

2×　「児童福祉法」ではなく、「子ども・子育て支援法」である。

3×　この制度により日中子どもを預けられる施設・事業は、幼稚園、保育所、認定こども園、地域型保育の4つがある。認定区分（1号認定、2号認定、3号認定）により、利用できる施設・事業が異なる。

4○　すべての子育て家庭を対象に、地域における子育て支援ニーズに対応した事業を行っている。これらは、市町村からの認定を受けなくても利用できる。

5×　地域型保育（家庭的保育、小規模保育、事業所内保育、居宅訪問型保育）は、0～2歳の子どもの保育事業である。

（答　4）

No. 21 次の①～⑥は、こども基本法にあるこども施策を決める上で大切な6つの理念である。（　A　）～（　E　）にあてはまる語句の組み合わせとして、妥当なのはどれか。

① すべてのこどもは大切にされ、（　A　）な人権が守られ、差別されない。
② すべてのこどもは、大事に育てられ、（　B　）が守られ、愛され、保護される権利が守られ、平等に教育を受けられる。
③ 年齢や発達の程度により、自分に直接関係することに意見を言えたり、社会のさまざまな（　C　）に参加できる。
④ すべてのこどもは年齢や発達の程度に応じて、（　D　）が尊重され、こどもの今とこれからにとって最もよいことが優先して考えられる。
⑤ 子育ては家庭を基本としながら、そのサポートが十分に行われ、家庭で育つことが難しいこどもも、家庭と同様の環境が確保される。
⑥ 家庭や（　E　）に夢を持ち、喜びを感じられる社会をつくる。

	(A)	(B)	(C)	(D)	(E)
1	基本的	人権	活動	意見	子育て
2	等しく	生活	行事	立場	子育て
3	基本的	生活	活動	立場	将来
4	基本的	生活	活動	意見	子育て
5	等しく	人権	行事	意見	将来

解説

こども基本法は、日本国憲法および児童の権利に関する条約の精神にのっとって、こども施策を総合的に推進することを目的としている。例えば、理念の1は、日本国憲法にある基本的人権の保障（第11条）、個人の尊重（第13条）、法の下の平等（第14条）、児童の権利に関する条約（子どもの権利条約）にある差別の禁止（第2条）をふまえて制定されている。

A　基本的　　B　生活　　C　活動
D　意見　　E　子育て

（答　4）

No. 22 **次の文は、「保育所保育指針」第2章「保育の内容」3「3歳以上児の保育に関するねらい及び内容」(2)「ねらい及び内容」の一部である。（　A　）～（　E　）にあてはまる語句の組み合わせとして、妥当なのはどれか。**

(ア)　健康な心と体を育て、自ら健康で（　A　）な生活をつくり出す力を養う。

(イ)　他の人々と親しみ、支え合って生活するために、（　B　）を育て、人と関わる力を養う。

(ウ)　周囲の様々な環境に好奇心や（　C　）をもって関わり、それらを生活に取り入れていこうとする力を養う。

(エ)　経験したことや考えたことなどを自分なりの言葉で表現し、（　D　）の話す言葉を聞こうとする意欲や態度を育て、言葉に対する感覚や言葉で表現する力を養う。

(オ)　感じたことや考えたことを自分なりに表現することを通して、豊かな感性や表現する力を養い、（　E　）を豊かにする。

	(A)	(B)	(C)	(D)	(E)
1	快適	自立心	探究心	相手	創造性
2	快適	協調性	自主性	相手	想像性
3	安全	自立心	探究心	相手	創造性
4	安全	協調性	探究心	保育士	想像性
5	安全	自立心	自主性	保育士	創造性

解説

(ア)　領域「健康」のねらい。健康な心と体を育てるだけでなく、清潔で安全な生活をするために必要な習慣や態度を身につけることも重要である。

(イ)　領域「人間関係」のねらい。保育所の生活では、保育士との信頼関係を築き、それを基盤としながら自立心を育てていくことも大事である。

(ウ)　領域「環境」のねらい。子どもは、環境に好奇心や探究心をもって主体的に関わり、自分の遊びや生活に取り入れながら発達していく。

(エ)　領域「言葉」のねらい。言葉は、身近な人との関わりを通して獲得されるものである。そのため保育士等や友だちといった相手の存在が不可欠である。

（オ） 領域「表現」のねらい。子どもは、感じること、考えることなどの経験を通して、感性と表現する力を養い、創造性を豊かにしていく。

（答 3）

No. 23 **次のA～Dの人物と関連のある語句ア～エの組み合わせとして、最も妥当なのはどれか。**

A	赤沢鍾美	ア	農繁期託児所
B	野口幽香	イ	守孤扶独幼稚児保護会
C	倉橋惣三	ウ	二葉幼稚園
D	筧雄平	エ	東京女子師範学校附属幼稚園

（組み合わせ）

1 A－ア B－エ C－ウ D－イ
2 A－ア B－ウ C－エ D－イ
3 A－イ B－ウ C－エ D－ア
4 A－イ B－ウ C－ア D－エ
5 A－ウ B－エ C－イ D－ア

解説

Aイ 赤沢鍾美（あつとみ）は、1890（明治23）年に新潟の私塾「新潟静修学校」で日本初の託児事業を始めた。この託児施設は1908（明治41）年に「守孤扶独（しゅこふどく）幼稚児保護会」と名付けられた。

Bウ 野口幽香（ゆか）は森島峰（みね）とともに、1900（明治33）年、東京に「二葉幼稚園」を開設した。

Cエ 倉橋惣三は1917（大正6）年に東京女子師範学校附属幼稚園主事に就任し、保育内容の改革にあたった。

Dア 筧雄平（かけい）は、農村において田植えや稲刈りなどの農繁期に放置されがちな子どもたちのために、1890（明治23）年、鳥取県に最初の農繁期託児所を設置した。

（答 3）

No. 24 **下記の事例を読み、「保育所保育指針」に規定されている保護者に対する子育て支援に沿った保育士の対応として、最も妥当なのはどれか。**

【事例】
Aちゃん（2歳）は、近頃、行動範囲が広がり、探索活動が盛んである。また、自己主張する姿もみられるようになった。ある朝、Aちゃんと一緒に登園した母親が担任保育士に、「Aが反抗ばかりするので、ついAを叩いてしまいます。夫は毎晩帰りが遅くて、育児を手伝ってはくれないし、疲れてしまいました。どうしたらいいのでしょうか」と言うと、泣き出した。

1 「しつけとして、反抗するAちゃんを叩くことも仕方ないですよね」と母親の行為を支持する。
2 「お父さんに、早く帰って育児を手伝ってもらうようお願いしたらどうですか」と助言する。
3 「2歳児は自己主張が強くなるので大変ですが、どのお母さんも頑張っているのですよ」と伝える。
4 「最近、自己主張しますよね。私も困っているんです」と、母親に共感する。
5 「反抗するAちゃんにお母さんは困っているのですね」と母親の気持ちを受け止め、「お家での様子を聞かせてもらえますか」と母親の話を聴く。

解説

1× 「保育所保育指針」第1章「総則」1「保育所保育に関する基本原則」(1)には、「入所する子どもの最善の利益を考慮」するとある。しつけとして叩くという母親の行為を支持するのは、子どもの**最善の利益**を考慮しておらず、指針に沿った対応とはいえない。なお、児童虐待防止法第14条では、児童の親権を行う者は、児童のしつけに際して、児童の人格を尊重するとともに、その年齢及び発達の程度に配慮しなければならず、かつ、体罰その他の児童の心身の健全な発達に有害な影響を及ぼす言動をしてはならないとされている。

2× 同4章「子育て支援」1「保育所における子育て支援に関する基本的事項」(1)には、「各地域や家庭の実態等を踏まえる」とある。仕事で帰宅の遅い父親に、早く帰宅し育児を手伝うようAちゃんの母親に助言するのは、保護者の状況を踏まえているとはいえず、適切な対応ではない。

3 × 同2「保育所を利用している保護者に対する子育て支援」(3) には、「保護者に育児不安等が見られる場合には、保護者の希望に応じて**個別の支援**を行うよう努めること」とある。母親が不安定になっている様子が見受けられるこのケースでは、まず**母親の気持ち**を受け止めることが重要である。

4 × 同1「保育所における子育て支援に関する基本的事項」(1) には「保護者が**子どもの成長**に気付き**子育ての喜び**を感じられるように努めること」とある。Aちゃんへの対応に困っていることへの共感は、指針に沿った対応とはいえない。

5 ○ 同1「保育所における子育て支援に関する基本的事項」(1) には「保護者に対する子育て支援を行う際には、…**保護者の気持ち**を受け止め…」とある。このことからも、指針に沿った対応といえ、最も適切な記述である。

(答 5)

check

●保育所における保護者に対する子育て支援の基本

保育所は、入所する子どもの保護者や地域の子育て家庭等への支援について、職員間の連携を図りながら、積極的に取り組むことが求められる。

子どもの最善の利益	「子どもの権利を象徴する言葉」
保護者との共感	子どもへの愛情や成長を喜ぶ気持ちを共感し合うことで、保護者は子育てへの自信や意欲をふくらませることができる
特性を生かした支援	子どもを深く理解する視点を伝えられたり、その実践をみたりすることが保護者にとっては支援となる。保護者懇談会、保育参加、行事への親子参加、保育体験などの機会を活用する
保護者の養育力向上への寄与	子どもと保護者との関係、保護者同士の関係、地域と子どもや保護者との関係を把握し、それらの関係性を高めることが、保護者の子育てを支える力となる
相談・助言におけるソーシャルワークの機能	ソーシャルワークの原理（態度）には、保護者の受容、自己決定の尊重、個人情報の取り扱いがある。保育士等は保護者自らが選択、決定することを支援する
プライバシーの保護及び秘密保持	相談・助言において、保護者や子どものプライバシーの保護、知り得た事柄の秘密保持は、欠かすことのできない専門的原則である。ただし、虐待など、子どもの最善の利益を図ることができない場合は、速やかに市町村または児童相談所に通告しなければならない
地域の関係機関等との連携・協力	保育や子育て支援の役割・機能を持っている様々な社会資源や関係者と連携し、それらを活用する

No. 25 下記の事例を読み、「保育所保育指針」に沿った保育士の対応として、最も妥当なのはどれか。

【事例】
7月のある日、T保育園に通うBくん（3歳）の顔に痣(あざ)があることに担任保育士が気づいた。Bくんはここ何日か同じTシャツを着ており、汚れも目立っている。

1 Bくんを職員室に連れて行き、園長、主任、看護師とともにBくんの身体の状況を確認する。
2 園長にBくんの状態を説明してから、いつものようにクラスの保育写真を撮るなかで、Bくんの顔の痣や洋服も撮っておく。
3 同じクラスの保護者が園に来たときに、Bくんの痣や服のことを話し、親子の様子について尋ねる。
4 Bくんを迎えにきた母親に、痣や洋服のことを伝え「叩くことをやめなければ､児童相談所に通告します。洋服も毎日洗濯してください」と指示する。
5 保護者やBくんのプライバシー保護と、知り得た事項の秘密保持のため、Bくんの状況を園長や同僚や関係機関には伝えず、一人でBくんの様子を観察する。

解説

1× 「保育所保育指針」第1章「総則」1「保育所保育に関する基本原則」の（5）「保育所の社会的責任」には､「保育所は､子どもの人権に十分配慮する」とある。幼いBくんにとって、複数の大人に職員室で身体を確認されるという行為は大きな精神的負担となるため、適切な対応とはいえない。

2○ 同第3章「健康及び安全」1「子どもの健康支援」(1)「子どもの健康状態並びに発育及び発達状態の把握」ウに「子どもの心身の状態等を観察し、不適切な養育の兆候が見られる場合には､市町村や関係機関と連携し､…」とある。今後、関係機関と連携を取るかもしれないため、Bくんの痣や洋服を撮っておくことは有効である。また、いつものようにクラスの保育写真を撮るなかで、Bくんの痣も撮るのは、指針に沿った対応といえる。

3 ×　同第４章「子育て支援」1「保育所における子育て支援に関する基本的事項」の（2）のイに「子どもの利益に反しない限りにおいて、保護者や子どものプライバシーを保護し、知り得た事柄の秘密を保持すること」とある。Ｂくんのクラスの保護者に話すのは守秘義務違反であることから、指針に沿った対応とはいえない。

4 ×　同「子育て支援」2「保育所を利用している保護者に対する子育て支援」の（3）「不適切な養育等が疑われる家庭への支援」に「保護者に育児不安等が見られる場合には、保護者の希望に応じて個別の支援を行う」とあり、母親の気持ちを聴き、思いを受け止めることが必要で、一方的に母親に指示をすることは、適切な対応とはいえない。

5 ×　同第１章「総則」1「保育所保育に関する基本原則」には「入所する子どもの最善の利益を考慮」することが述べられている。加えて、同第４章「子育て支援」2「保育所を利用している保護者に対する子育て支援」には、「虐待が疑われる場合には、速やかに市町村又は児童相談所に通告し、適切な対応を図ること」とある。Ｂくんの状況について、園長や同僚や関係機関にも伝えず一人で抱え込むのは、指針に沿った対応とはいえない。

（答　2）

Key word **「保育所保育指針」第４章「子育て支援」**

「保育所保育指針」第４章「子育て支援」1「保育所における子育て支援に関する基本的事項」の（2）には「子育て支援に関して留意すべき事項」として次の２つが記されている。

・保護者に対する子育て支援における地域の関係機関等との連携及び協働を図り、保育所全体の体制構築に努めること。
・子どもの利益に反しない限りにおいて、保護者や子どものプライバシーを保護し、知り得た事柄の秘密を保持すること。

No. 26 下記の事例を読み、「保育所保育指針」に沿った保育士の対応として、妥当な記述の組み合わせはどれか。

【事例】

T保育園に通うKくん（4歳児）は、トマトが嫌いで、給食に出されると必ず残してしまう。担任のS先生が家庭での様子を聞いてみたところ、母親は、食べられるようになってほしいと思うが、無理に食べさせるのも良くないと思うらしく、どのように対応すればよいか悩んでいるという。

A　健康な生活を送るために望ましい食習慣を形成することは大切なので、しつけの一環として好き嫌いを克服し、残さず食べるよう指導すべきである。

B　嫌いなものを無理に食べさせる必要はないので、Kくんが自然に自分から食べるまで待つ姿勢が大事である。

C　実践例として、クラスでトマトの栽培をし、自分たちで収穫して食べる活動を行うなかで、少しでもKくんがトマトに興味関心を向けたり、食べてみようと思えるような言葉がけを試みることは有効かもしれない。

D　Kくんがトマトを嫌いな要因として、味覚や嗅覚の過敏さやアレルギーがないかどうかを観察したり、保護者に確認したりする必要がある。

E　望ましい食習慣が身につくよう、家庭で取り組んでほしいこと等を保護者に指導し、理解してもらうことが必要である。

1　A、C
2　B、D
3　C、D
4　B、E
5　A、E

解説

A×　健康な体と心を育むために望ましい食習慣の形成は欠かすことのできないものである。そのため、食べ物を無駄にしない等の意識が持てるよう様々な体験を通して導いていくことは大切である。しかしそれはしつけとして身につけさせるというよりも、子どもが**食べることの喜びや楽しさ**を感じ、自ら進んで食べてみようとする気持ちを育むことを大切にしなければならない。

B×　食は、子どもが豊かな人間性を育むことや、健康増進のために重要なものである。よって、乳幼児期における**望ましい食習慣**の定着や**食を通じた人間性**の形成等を図れるようにすることが求められる。子どもの実情に配慮しながら、和やかな雰囲気の中で、進んで食べようとする気持ちや態度が育つようにすることが大切である。

C○　保育所での食育は、「**食を営む力**」の基礎を培うために、日々の保育の様々な場面を通して、子どもが自ら意欲を持って食に関わる体験を積み重ねることが大切である。子どもたちが野菜の栽培や収穫をし、皆で一緒に食べることにより嫌いなものにも親しみを感じることや、自分たちで育てた特別な野菜だからこそ食べてみたいという気持ちが芽生えることが期待できる。

D○　子どもの好き嫌いは、味覚や嗅覚の過敏さや**食物アレルギー**といった体質的な要因がある可能性もある。保育士等は、常に**食物アレルギー**について最新の正しい知識を共有し、適切に対応する必要がある。

E×　子どもの「**食を営む力**」を豊かにするためには、保育所と家庭が連携して食育を進めていくことが大切である。しかしそれは保育士等による指導ということではなく、保護者が食育への関心を高めたり、子どもとともに食を楽しめたりするように助言や支援する姿勢が求められる。

（答　3）

check

●保育所保育指針における「食」に関する主な事項

第2章　保育の内容

乳児保育　(2) ア身体的発達に関する視点「健やかに伸び伸びと育つ」

(イ) 内容③　(ウ) 内容の取扱い②

1歳以上3歳未満児の保育　(2) ア心身の健康に関する領域「健康」

(イ) 内容④　(ウ) 内容の取扱い②

3歳以上児の保育　(2) ア心身の健康に関する領域「健康」

(イ) 内容⑤　(ウ) 内容の取扱い④

第3章　2 食育の推進

おさえよう！

教育原理の厳選ポイント

保育に関する重要法律

日本国憲法

第26条　すべて国民は、法律の定めるところにより、その能力に応じて、ひとしく教育を受ける権利を有する。

2　すべて国民は、法律の定めるところにより、その保護する子女に普通教育を受けさせる義務を負ふ。義務教育は、これを無償とする。

教育基本法

（義務教育）

第4条　すべて国民は、ひとしく、その能力に応じた教育を受ける機会を与えられなければならず、人種、信条、性別、社会的身分、経済的地位又は門地によって、教育上差別されない。

第5条　国民は、その保護する子に、別に法律で定めるところにより、普通教育を受けさせる義務を負う。

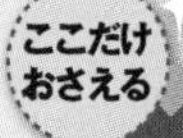

生涯学習

年	会議・審議会等	答申・報告
1965（昭和40）	ユネスコ成人教育推進国際委員会	ラングラン（1910～2003）が「生涯教育」を提唱
1973（昭和48）	OECD-CERI	リカレント教育を発表
1981（昭和56）	中央教育審議会	「生涯教育について（答申）」 初めて公式に「生涯学習」という言葉が使用された
2006（平成18）	第165回臨時国会	教育基本法改正　第3条（生涯学習の理念） 「国民一人一人が、自己の人格を磨き、豊かな人生を送ることができるよう、その生涯にわたって、あらゆる機会に、あらゆる場所において学習することができ、その成果を適切に生かすことのできる社会の実現が図られなければならない」
2008（平成20）	中央教育審議会	「新しい時代を切り拓く生涯学習の振興方策について～知の循環型社会の構築を目指して～（答申）」

教授段階論

考案者	教授理論	内容				
ペスタロッチ	直観教授	直観			概念	
ヘルバルト	四段階教授法	専心			致思	
		明瞭		連合	系統	方法
ツィラー	五段階教授法	分析	総合	連合	系統	方法
ライン	五段階教授法	予備	提示	比較	概括	応用

教育に関わる歴史的人物

人物（年）	キーワード	主な著書
コメニウス（1592～1670）	チェコ、近代教育学の父、直観教授、「知識は感覚にはじまる」「すべての人にすべてのことを教える」	『大教授学』、『世界図絵』
ロック（1632～1704）	紳士教育、「健全な身体に宿る健全な精神」 白紙説（タブラ・ラサ）	『教育に関する考察』、『人間悟性論』
ルソー（1712～1778）	スイスに生まれフランスで活躍、消極教育、自然主義、「自然に還れ」、「万物をつくる者の手をはなれるときすべてはよいものであるが、人間の手にうつるとすべてが悪くなる」（性善説）	『エミール』、『社会契約論』、『人間不平等起源論』
ペスタロッチ（1746～1827）	スイス生まれ、直観教授、メトーデ、直観の ABC、頭・心・手の教育、特に「手」の教育を重視 「玉座の上にあっても、木の葉の屋根の蔭に住まっていても同じ人間」「生活が陶冶する」	『隠者の夕暮』、『シュタンツだより』、『リーンハルトとゲルトルート』
ブルーナー（1915～2016）	アメリカ、教育心理学者、発見学習	『教育の過程』
貝原益軒（1630～1714）	本草学者、儒学者、朱子学者 日本のロック、江戸時代の組織的な児童教育論	『和俗童子訓』

「保育原理」（p.8）「保育の心理学」（p.128）などもあわせて確認しましょう

教育原理

／18　／18

No. 1 次の文は、「教育基本法」の一部である。（　A　）～（　C　）にあてはまる語句の組み合わせとして、最も妥当なのはどれか。

（教育の目標）
第２条　教育は、その目的を実現するため、学問の自由を尊重しつつ、次に掲げる目標を達成するよう行われるものとする。
一　幅広い（　A　）を身に付け、真理を求める態度を養い、豊かな情操と道徳心を培うとともに、健やかな身体を養うこと。
二　個人の価値を尊重して、その能力を伸ばし、創造性を培い、（　B　）を養うとともに、職業及び生活との関連を重視し、（　C　）を養うこと。

	(A)	(B)	(C)
1	知識と教養	必要な資質	自主性
2	知識と教養	自主及び自律の精神	勤労を重んずる態度
3	人間性と創造性	自主及び自律の精神	生活力を育む心
4	人間性と創造性	公共の精神	勤労を重んずる態度
5	教養と専門性	公共の精神	生活力を育む心

解説

「教育基本法」第２条（教育の目標）に明記されている。その他、同条３～５号も確認しておこう。

また、同法第１条（教育の目的）の「教育は、人格の完成を目指し、平和で民主的な国家及び社会の形成者として必要な資質を備えた心身ともに健康な国民の育成を期して行われなければならない」もあわせておさえておきたい。

A　知識と教養
B　自主及び自律の精神
C　勤労を重んずる態度

（答　2）

No. 2 次の文は明治以降の日本の保育制度に関する記述である。年代順に並べ替えた場合、最も妥当なのはどれか。

ア 初の幼稚園教育に関する総合法規である「幼稚園保育及設備規程」の制定
イ わが国最初の単独勅令「幼稚園令」「幼稚園令施行規則」の制定
ウ 東京女子師範学校附属幼稚園の開設
エ 城戸幡太郎による「保育問題研究会」の発足
オ 新潟静修学校に付設の初の託児施設の創設

1 イ→ア→ウ→オ→エ
2 イ→ウ→ア→エ→オ
3 ウ→イ→ア→オ→エ
4 ウ→エ→ア→イ→オ
5 ウ→オ→ア→イ→エ

解説

古い順にウ→オ→ア→イ→エである。

ウ 1876（明治９）年、わが国最初の幼稚園である東京女子師範学校附属幼稚園が開設された。フレーベル主義を尊重し、主席保姆（ほぼ）には松野クララが就任した。

オ 1890（明治 23）年、赤沢鍾美（あつとみ）夫妻によって貧困層の子どもに対して初等、中等教育を行っていた新潟静修学校に、付設として初の託児施設が創設された。

ア 1899（明治 32）年、文部省により「幼稚園保育及設備規程」が制定された。これを機に日本の保育は、恩物主義及び小学校の予備的教育から脱却し、「遊嬉」を尊重した保育実践の第一歩を踏み出すこととなった。

イ 1926（大正 15）年、幼稚園に関するわが国最初の単独勅令（ちょくれい）である「幼稚園令」「幼稚園令施行規則」が制定され、制度上ようやく幼稚園が認知されるようになった。

エ 1936（昭和 11）年、城戸幡太郎は、幼稚園と託児所における保育問題を保育者と研究者がともに研究する場として保育問題研究会を設立した。また彼は、その研究会の部会として保育案研究部会を設置し、モデル保育所として戸越保育所を開設した。

（答　5）

No. 3 **次の文は、文部科学省による「諸外国の教育統計」(令和5〔2023〕年版)に記されたある国の学校制度についての記述である。どの国の記述か、正しいものを一つ選びなさい。**

就学前教育は、幼稚園または小学校付設の幼児学級・幼児部で、2～5歳の幼児を対象として行われる。義務教育は3～16歳の13年間である。初等教育は、小学校で5年間行われる。前期中等教育は、コレージュ(4年制)で行われる。このコレージュでの4年間に基づき、生徒は後期中等教育の諸学校・課程に振り分けられる。後期中等教育はリセ(3年制)または職業リセ(2～3年制)で行われる。

1 アメリカ
2 フランス
3 ドイツ
4 イギリス
5 ロシア

解説

教育指標の国際比較についても主要な国の部分は目を通しておこう。

正解のフランスは、前期中等教育にあたるコレージュでの4年間の観察、進路指導の結果に基づき、リセか職業リセに振り分けられ、高校入試はない。

その他の選択肢において、アメリカとドイツの義務教育年限は州によって異なっている。イギリスの初等教育は、5～7歳の前期2年(幼児部)と7～11歳の後期4年(下級部)に区分されている。

フランスではコレージュ、リセ、ドイツではハウプトシューレ、ギムナジウム、イギリスではファーストスクール、アメリカでは上級・下級ハイスクールという教育機関名で各国の区別をするとわかりやすい。また、韓国のヌリ課程、ニュージーランドのテ・ファリキという幼児教育プログラム等も出題される可能性がある。

(答　2)

No.4 「小学校学習指導要領（平成 29 年告示：文部科学省）」の記述として、妥当でないのはどれか。

1　学習指導要領は、「学校教育法」や「学校教育法施行規則」など法的根拠に基づいて告示されるものであり、法的拘束力を持つとされている。

2　新しい学習指導要領は、主体的・対話的で深い学び（アクティブ・ラーニング）の視点から「何を学ぶか」だけでなく「どのように学ぶか」も重視している。

3　各学校が「ゆとり」の中で「特色ある教育」を展開し、子どもたちに学習指導要領に示す基礎的・基本的な内容を確実に身に付けさせることはもとより、自ら学び自ら考える力などの「生きる力」を育む。

4　2017（平成 29）年の小学校学習指導要領の改訂は、1947（昭和 22）年に「教科課程、教科内容及びその取扱い」として初めて学習指導要領が刊行されて以来、昭和 26 年、33 年、43 年、52 年、平成元年、10 年、20 年に続く 8 回目の全面改訂である。

5　2017（平成 29）年の改訂では授業時数が増加した。

解説

1○　学習指導要領は学校教育法の規定により、国民の権利義務に関する「法規」としての性質を持っている。

2○　文部科学省は、2017（平成 29）年 3 月、小学校・中学校の学習指導要領及び幼稚園教育要領を改訂した。新しい学習指導要領は「主体的・対話的で深い学び（アクティブ・ラーニング）」を重視した内容となっている。

3×　2002（平成 14）年度から実施されていた旧学習指導要領のポイントである。

4○　最初の学習指導要領は 1947（昭和 22）年に「学習指導要領一般編」（試案）として文部省より刊行された。その後、現在まで 8 回の全面改訂を行っている。

5○　国語、社会、算数、理科、体育の授業時数が 10% 程度増加した 2008（平成 20）年の改訂に続き、高学年での「外国語」、中学年での「外国語活動」の導入と、外国語教育の充実により増加した。

（答　3）

No. 5 次の文は、「日本国憲法」の一部である。最も妥当でないのはどれか。

1　すべて国民は、個人として尊重される。生命、自由及び幸福追求に対する国民の権利については、公共の福祉に反しない限り、立法その他の国政の上で、最大の尊重を必要とする。

2　学問の自由は、これを保障する。

3　すべて国民は、健康で文化的な最低限度の生活を営む権利を有する。

4　すべて国民は、ひとしく、その能力に応じた教育を受ける機会を与えられなければならず、人種、信条、性別、社会的身分、経済的地位又は門地によって、教育上差別されない。

5　すべて国民は、法律の定めるところにより、その保護する子女に普通教育を受けさせる義務を負ふ。義務教育は、これを無償とする。

解説

1○　日本国憲法　第 13 条　幸福追求権

2○　日本国憲法　第 23 条　学問の自由について

3○　日本国憲法　第 25 条　生存権

4×　教育基本法　第 4 条

5○　日本国憲法　第 26 条　教育を受ける権利

（答　4）

No. 6 次の文は「学校教育法」の一部である。（　A　）～（　C　）にあてはまる語句の組み合わせとして、最も妥当なのはどれか。

幼稚園における教育は、前条に規定する目的を実現するため、次に掲げる目標を達成するよう行われるものとする。

一　健康、安全で幸福な生活のために必要な基本的な習慣を養い、身体諸機能の（　A　）を図ること。

二　集団生活を通じて、喜んでこれに参加する態度を養うとともに家族や身近な人への信頼感を深め、自主、自律及び協同の精神並びに規範意識の芽生えを養うこと。
三　身近な社会生活、(　B　)に対する興味を養い、それらに対する正しい理解と態度及び思考力の芽生えを養うこと。
四　日常の会話や、絵本、童話等に親しむことを通じて、言葉の使い方を正しく導くとともに、相手の話を理解しようとする態度を養うこと。
五　音楽、身体による表現、造形等に親しむことを通じて、豊かな感性と(　C　)を養うこと。

	(A)	(B)	(C)
1	調和的発達	生命及び自然	表現力の芽生え
2	調和的発達	自然体験活動	技能
3	基礎的能力の向上	生命及び自然	技能
4	基礎的能力の向上	自然現象	表現力の芽生え
5	能力の充実	自然体験活動	表現力の芽生え

解説

「学校教育法」第23条である。第21条についての出題も増えているが、「幼稚園における教育」について定めた第23条と混同することのないよう、確認しておこう。
A　調和的発達
B　生命及び自然
C　表現力の芽生え

（答　1）

check
●普通教育における目標(「学校教育法」第21条)
第21条は「義務教育として行われる普通教育は、(中略) 次に掲げる目標を達成するよう行われるものとする」とあり、その目標が一〜十まで記載されている。以下は一部抜粋。
一　学校内外における社会的活動を促進し、自主、自律及び協同の精神、規範意識、公正な判断力並びに公共の精神に基づき主体的に社会の形成に参画し、その発展に寄与する態度を養うこと。
二　学校内外における自然体験活動を促進し、生命及び自然を尊重する精神並びに環境の保全に寄与する態度を養うこと。

No. 7 **幼稚園教育要領の改訂の歴史についての記述のうち、最も妥当でないものはどれか。**

1 幼稚園教育要領の前身となる保育要領が刊行されたのは、1948（昭和23）年。幼稚園、保育所、家庭における幼児教育の手引書として文部省から保育要領が刊行された。

2 1956（昭和31）年に保育要領の内容をもっぱら幼稚園教育に全面改訂する。この改定で名前が幼稚園教育要領となる。

3 1956年の改訂では、幼稚園教育の目標をより具体化、教育内容は「健康」「社会」「自然」「言語」「表現」の5領域で示した。

4 1989（平成元）年に教育内容が保育所保育指針にも用いられている5領域（健康、人間関係、環境、言葉、表現）に再編される。

5 2017（平成29）年に幼稚園教育要領、保育所保育指針、幼保連携型認定こども園教育・保育要領が同時に改訂される。就学前の教育については、幼稚園、保育所、幼保連携型認定こども園のどこに通園しても小学校就学後に不利益を被ることがないように、それぞれの内容が改められた。

解説

戦後、子どもを取り巻く環境の変化により、幼稚園教育要領は変化してきた。1947（昭和22）年「学校教育法」が制定され、幼稚園はその第1条に規定する学校体系の一環に位置付けられ、学校に関する基本的な事項は全て幼稚園にも適用されることになった。保育要領は1948年に作成され、文部省は保育要領・幼児教育の手引きを刊行した。1956年の改訂では、幼稚園の保育内容と小学校との一貫性の重視、幼稚園教育の目標を具体化、幼稚園における指導上の留意点を示した。また、保育の内容を楽しい幼児の経験として系統的に組織付けられていなかったことから、幼稚園教育の目標達成のためにその目標を内容化した。これが、健康、社会、自然、言語、音楽リズム、絵画製作の6領域である。

（答 3）

No.8 次の文は、「幼保連携型認定こども園教育・保育要領」の一部である。（　A　）～（　C　）にあてはまる語句の組み合わせとして、最も妥当なのはどれか。

乳幼児期の教育及び保育は、子どもの健全な心身の発達を図りつつ生涯にわたる（　A　）を培う重要なものであり、幼保連携型認定こども園における教育及び保育は、就学前の子どもに関する教育、保育等の総合的な提供の推進に関する法律（以下「認定こども園法」という。）第2条第7項に規定する目的及び第9条に掲げる目標を達成するため、乳幼児期全体を通して、その特性及び保護者や地域の実態を踏まえ、（　B　）を通して行うものであることを基本とし、家庭や地域での生活を含めた園児の生活全体が豊かなものとなるように努めなければならない。
このため、（　C　）等は、園児との信頼関係を十分に築き、園児が自ら安心して身近な（　B　）に主体的に関わり、その活動が豊かに展開されるよう（　B　）を整え、園児と共によりよい教育及び保育の（　B　）を創造するように努めるものとする。

	(A)	(B)	(C)
1	豊かな人間性	環境	主幹教諭及び保育者
2	豊かな人間性	遊び	保育教諭
3	人格形成の基礎	環境	保育教諭
4	人格形成の基礎	遊び	主幹教諭及び保育者
5	人格の完成	環境	園長及び副園長

解説

「幼保連携型認定こども園教育・保育要領」第1章「総則」第1「幼保連携型認定こども園における教育及び保育の基本及び目標等」1「幼保連携型認定こども園における教育及び保育の基本」の一部である。2018（平成30）年度より新制度が施行されている。幼保連携型認定こども園の認可の基準などとあわせてしっかり確認しておこう。
A　人格形成の基礎　　B　環境　　C　保育教諭

（答　3）

No. 9 次の【Ⅰ群】の人物と【Ⅱ群】の記述を結び付けた場合の正しい組み合わせを一つ選びなさい。

【Ⅰ群】

A　ペスタロッチ　　B　コメニウス　　C　ロック

【Ⅱ群】

ア　イギリスの哲学者。人間の経験を「感覚」と「内省」とし、白紙説（タブラ・ラサ）、紳士教育を主張した。その著書『教育に関する考察』の中で「健全な身体に宿る健全な精神、これはこの世における幸福な状態」と書いた。

イ　スイスの教育家、民衆教育の父と呼ばれる。自身の教育を模索し、子どもの教育に携わった。その著書『隠者の夕暮』の冒頭で「玉座の上にあっても、木の葉の屋根の蔭に住まっていても同じ人間」と書き、すべての人間は生まれながらに平等だと訴えた。

ウ　チェコの思想家。世界初の絵入り教科書『世界図絵』で直観教授や感覚教授の原理を説いた。すべての人にすべてのことを教える普遍的技術という理念を持っていた。

	(A)	(B)	(C)
1	イ	ウ	ア
2	ア	イ	ウ
3	ウ	イ	ア
4	イ	ア	ウ
5	ウ	ア	イ

解説

Aイ　ペスタロッチはルソーの影響を受け、人格形成を含めた教育、貧しい人々にも教育を受ける機会を与えた。直観教授を具体化したメトーデを確立した。

Bウ　コメニウスは教育を広く一般大衆に広め、近代教育学の父と呼ばれている。8つの具体的な学校体系の構想も提案した。

Cア　ロックは人間の経験には「感覚」と「内省」があり、人間の心はこれらの経験によってどのようにも作ることができるとして、白紙説（タブラ・ラサ）を唱えた。

（答　1）

No. 10 次の【Ⅰ群】の記述と【Ⅱ群】の語句を結びつけた場合の正しい組み合わせを一つ選びなさい。

【Ⅰ群】

A　1951（昭和26）年、日本国憲法の精神に基づいて作られた児童の権利の宣言的文書。

B　子どもの権利に関するもので、ポーランドの提案で国際連合が検討を開始し、1989（平成元）年に採択された。

C　人権諸条約の中で最も基本的かつ包括的なもので、1966（昭和41）年に国際連合で採択された。

【Ⅱ群】

ア　国際人権規約　　**イ**　児童憲章　　**ウ**　児童の権利に関する条約

	(A)	(B)	(C)
1	ア	イ	ウ
2	ア	ウ	イ
3	イ	ア	ウ
4	イ	ウ	ア
5	ウ	ア	イ

解説

Aイ　児童憲章 ―― 戦後、日本国憲法の精神に基づいて作られた児童の権利の宣言的文書。

Bウ　児童の権利に関する条約（子どもの権利条約） ―― 1989（平成元）年、国連総会で採択。国際人権規約において定められている権利を子どもについても適用し、子どもの人権の尊重と確保に必要となる具体的な内容を規定した。世界で初めて子どもの権利を国際的に確立した。

Cア　国際人権規約 ―― 1966（昭和41）年、国連総会で採択。(1) 経済的、社会的及び文化的権利に関する国際規約、(2) 市民的及び政治的権利に関する国際規約についての選択議定書がある。

（答　4）

No.11 次の説明文の空欄（　　）を示している語句として、最も妥当なものを一つ選びなさい。

発達障害をはじめ障害のある子どもたちへの支援にあたっては、行政分野を超えた切れ目ない連携が不可欠であり、一層の推進が求められている。

特に、教育と福祉の連携については、学校と児童発達支援事業所、放課後等デイサービス事業所等との相互理解の促進や、保護者も含めた情報共有の必要性が指摘されている。こうした課題を踏まえ、各地方自治体の教育委員会や福祉部局が主導し、支援が必要な子どもやその保護者が、乳幼児期から学齢期、社会参加に至るまで、地域で切れ目なく支援が受けられるよう、文部科学省と厚生労働省では、「家庭と教育と福祉の連携（　　　　）」を発足し、家庭と教育と福祉のより一層の連携を推進するための方策を検討した。

1　ヘッドスタート計画
2　SDGs
3　ドルトンプラン
4　『トライアングル』プロジェクト
5　PDCAサイクル

解説

1×　ヘッドスタート計画とは1965年に始まったアメリカ連邦政府の育児支援施策で、貧困撲滅政策を目的としている。貧困家庭の幼児に適切な教育を与えること、子どもたちに貧困という壁を越えて育つ機会を与えることを目指している。

2×　SDGsとは持続可能な開発目標のことであり、2001年に策定されたミレニアム開発目標（MDGs）を後継、2015年9月の国連サミットで採択された。2030年までに持続可能でよりよい世界を目指す国際目標。17のゴール・169のターゲットで構成される。

3×　ドルトンプランとは、アメリカの教育者ヘレン・パーカーストが提唱した教育法で、モンテッソーリ教育やデューイの問題解決学習などを取り入れている。

4○　『トライアングル』プロジェクトとは、障害のある子どもたちへの既存の支援が効果的に機能し、保護者とともにより元気になるよう支援の在り方を検討するプロジェクトである。

5×　PDCAサイクルとは、企業が行う一連の活動を、それぞれPlan－Do－

Check － Action（PDCA）という観点から管理するフレームワークである。

（答　4）

No. 12 **次の文は絶対評価に対する記述である。適切なものを○、不適切なものを×としたときの、正しい組み合わせはどれか。**

A　絶対評価は集団内における個人の位置を明示するものであり、集団全体の達成状況との比較において、個人の達成状況を明らかにすることができる。

B　絶対評価は集団に準拠した評価であり、集団の質によって評価が左右されるため、客観性や信頼性に乏しいという指摘がある。

C　小学校、中学校では絶対評価を取り入れ、児童生徒個人の目標達成度をきめ細やかに評価している。

D　絶対評価は評価者の主観が入らないため、公平であることが求められる入学試験で採用される。

	(A)	(B)	(C)	(D)
1	○	○	○	○
2	×	×	○	×
3	×	○	○	×
4	○	×	○	×
5	×	×	×	○

解説

A×　集団内における個人の位置を明示し、集団全体の達成状況との比較をするのは相対評価である。

B×　集団に準拠した評価であり、集団の質によって評価が左右されるのは相対評価である。

C○　絶対評価に対する記述である。

D×　評価には主観が入らないということがない。評価する公平性とともに、合格者数の制限がある入学試験などでは相対評価が採用されることが多い。

（答　2）

No. 13 **次の文の著者としてあてはまる人物として、最も妥当な人物を選びなさい。**

自ら育つものを育たせようとする心、それが育ての心である。世にこんな楽しい心があろうか。それは明るい世界である。温かい世界である。育つものと育てるものとが、互いの結びつきに於て相楽しんでいる心である。
育ての心。そこには何の強要もない。無理もない。育つもののおおきな力を信頼し、敬重して、その発達の途にしたがうて発達を遂げしめようとする。役目でもなく、義務でもなく、誰の心にも動く真情である。
しかも、この真情が最も深く動くのは親である。次いで幼き子等の教育者である。そこには抱く我が子の成育がある。日々に相触るる子等の生活がある。こうも自ら育とうとするものを前にして、育てずしてはいられなくなる心、それが親と教育者の最も貴い育ての心である。

1　羽仁もと子
2　城戸幡太郎
3　中江藤樹
4　鈴木三重吉
5　倉橋惣三

解説

1×　羽仁もと子は自由学園の創設者であり、日本初の女性ジャーナリストであった。子どもたち自身が考える心と選択する自由を大切にした。

2×　城戸幡太郎は心理学者、教育者。庶民の子どもたちの生活に「社会協力の訓練」を説いた。倉橋惣三の児童中心主義に対し、社会中心主義とも呼ばれる。

3×　中江藤樹は江戸初期の陽明学者。『翁問答』では、孝を道徳の根本とし、幼少期からの教育の徳教を重視し、父母の役割に期待した。「近江聖人」ともいわれた。

4×　鈴木三重吉は児童文学者。児童文化運動の父といわれ、『赤い鳥』を創刊した。

5○　倉橋惣三は幼児教育の研究、実践家。子どもの興味、関心に基づき、子どもを自由に遊ばせる誘導保育を重視した。主な著書は『育ての心』。

（答　5）

No. 14 次の人物についての記述のうち、最も<u>妥当でない</u>のはどれか。

1　吉田松陰は医師を志して修業を行ったのち、大坂に蘭学の適塾を開き、学級制を設けるなど工夫して多くの門人を輩出した。

2　中江藤樹は「知行合一」を唱え、わが国における陽明学の祖とされる。『翁問答』では、孝を道徳の根本とし、幼少期からの教育の徳教を重視した。「近江聖人」とも呼ばれた。

3　空海は京都に綜芸種智院を創設し、民衆にも門戸を開いた。知識を獲得する綜芸を通して、自己を取り巻く世界を完全に把握することを意味する種智の実現に至る道程を示した。

4　伊藤仁斎は儒学者で、京都の堀川に古義堂を開き、教育の目的は道の実践にありとして、実行と個性尊重の教育を施した。

5　広瀬淡窓は豊後国日田に咸宜園という私塾を開き、三奪の法により、年齢、修学歴、身分の三つを無視し、本人の入塾後の学問への努力に基づく達成度と実力を重視した。

解説

1×　正しくは**緒方洪庵**である。緒方洪庵は、江戸後期の蘭学者であり、江戸・長崎で医学を学び、医業のかたわら**蘭学塾（適塾）**を開いて教育を行った。種痘の普及にも尽力し、日本における**西洋医学**の基礎を築いた。

2○　江戸初期の儒学者で日本陽明学派の祖。はじめ朱子学を修め、その後陽明学を首唱して**近江聖人**と呼ばれる。著書に**『鑑草』『翁問答』**などがある。

3○　平安初期の真言宗の僧。**弘法大師**とも呼ばれる。高野山に金剛峯寺を建立。また、京都に**綜芸種智院**（しゅげいしゅち）を開いた。

4○　江戸前期の儒学者。古義学派の祖といわれる。朱子学を学んだが、のちに日常の経験に立脚した倫理思想を説いた。京都堀川に開いた**古義堂**は、門弟三千余人を有したといわれる。著書に**『論語古義』『孟子古義』『童子問』**などがある。

5○　広瀬淡窓（たんそう）は、江戸後期の儒学者。筑前国福岡の**亀井南冥**（なんめい）の塾に学び、病気で退塾後は独学を続けた。**豊後国**（ぶんごのくに）日田私塾**咸宜園**（かんぎえん）を開き、多くの弟子を教育した。

（答　1）

No. 15 次の教授段階説に関する記述のうち、最も妥当なのはどれか。

1　ペスタロッチは、感覚器官を鍛えて直観から理性へという考えのもとに直観教授を確立した。

2　ヘルバルトは、学習者の学習過程を予備→提示→比較→概括という 4 段階で示した。

3　ツィラーは、ヘルバルトの段階説を改編し、教師側からみた予備→提示→比較→概括→応用の 5 段階を唱えた。

4　オコンは、教師、生徒、教材を教授過程の 3 要素と呼び、特に教材を中心に置く研究をした。

5　オーエンは、7 つの教授段階系列である「科学的な道筋」に従って、知識を教授する方法を提唱した。

解説

1 ○　ペスタロッチは、知識を言葉によって教えるのではなく、感覚器官を通じて教えていくことを確立した。その中で、感覚器官を育てた後に理性の教育へと展開すべきことを主張している。これはルソーの教育方法を受け継いでいるという見方もできるが、家庭教育ではなく、学校教育としての方法を確立している。

2 ×　ヘルバルトが提唱した学習過程の 4 つの段階は、明瞭→連合→系統→方法である。

3 ×　ヘルバルトの段階説を改編し、教師側からみた予備→提示→比較→概括→応用の 5 段階を唱えたのは、弟子のラインである。

4 ×　オコンが 3 要素（教師、生徒、教材）の中で着目したのは教師の教授活動である。また、3 要素の相互関係について研究を進めた。

5 ×　オコンについての記述である。オーエンは、助教法（monitorial system）により、多数の生徒を一律でかつ効率的に教育することを開発したベルやランカスターを金銭的に援助し、今日の保育所的機能を有する最初の幼児学校を設立した。

（答　1）

No. 16 次のカリキュラムに関する記述のうち、最も<u>妥当でない</u>のはどれか。

1 相関カリキュラムは、教科の枠組みは残しながらも、内容的に関連ある複数の教科を統合的に構成する。

2 経験カリキュラムは、教室の雰囲気や人間関係などから、習慣や態度などを無意識のうちに学んでいくこと。

3 教科カリキュラムは、各教科で学ぶ目標を定める。学習効率はいいが、暗記中心の学習になってしまうというデメリットがある。

4 融合カリキュラムは、教科の枠を取り外し、各教科を共通の要素に基づいてより大きな領域で構成したもの。

5 コア・カリキュラムは、ある課題を核として、その問題解決に必要な知識・技能を学習するもの。

解説

1○ 相関カリキュラムは、教科・科目の区分はそのままで、特に関係の深い教科・科目間の関連を図り学習効果を上げようとするもの。

2× 潜在的カリキュラムについての記述である。経験カリキュラムは、子どもの興味・関心を中心に、それを核に学びを進めていくよう構成される。

3○ 教科カリキュラムは、教育内容をそれぞれの分野に分けて区分し、系統的に構成した伝統的な教育課程である。

4○ 融合カリキュラムは、いくつかの教科・科目を融合し、新しい教科・科目や領域に再編成したもの。例えば、地理、歴史、公民を「社会科」とするなど。

5○ コア・カリキュラムは、中心になる教科や活動領域を設定し、その周辺に関連領域を配置して教科の統合をめざす。「経験型」と「教科型」がある。

（答 2）

No. 17 **次の文は、令和4年12月19日の中央教育審議会で取りまとめられた、「『令和の日本型学校教育』を担う教師の養成・採用・研修等の在り方について（答申)」の一部である。（　A　）～（　C　）にあてはまる語句の正しい組み合わせを一つ選びなさい。**

今回の答申は、教師の養成・採用・研修の一体的な改革を通じ、教師が（　A　）で魅力ある仕事であることが再認識され、志望者が増加し、教師自身も志気を高め、誇りを持って働くことができるという将来を実現するための提言である。環境の変化を前向きに受け止め、（　B　）を通じて学び続け、子供一人一人の学びを最大限に引き出す役割を果たし、子供の（　C　）な学びを支援する伴走者としての能力も備えている教師が、一人でも多く教壇に立つことを期待する。

1　社会的　教職生涯　自主的
2　社会的　授業実践　個性的
3　創造的　教職生涯　主体的
4　創造的　授業実践　自主的
5　独創的　教職生涯　主体的

解説

A　創造的　B　教職生涯　C　主体的

中央教育審議会は「『令和の日本型学校教育』を担う教師の養成・採用・研修等の在り方について（答申)」で、2020年代を通じて実現を目指す「令和の日本型学校教育」の在り方と、それを担う教師及び教職員集団のあるべき姿を示した。その理想的な姿を実現するため、今後の改革の方向性として、「新たな教師の学びの姿」の実現、多様な専門性を有する質の高い教職員集団の形成、教職志望者の多様化等を踏まえた育成・安定的確保の3つが掲げられた。

（答　3）

No. 18 2015年に国連で採択され、「"誰一人取り残さない" No one will be left behind」という考え方の下、貧困に終止符を打ち、地球を保護し、全ての人が平和と豊かさを享受できる社会を目指している「持続可能な開発目標」として、適切な略称を一つ選びなさい。

1 UNDESD
2 GAP
3 MDGs
4 SDGs
5 ESD

解説

1× UNDESDとはUnited Nations Decade of Education for Sustainable Developmentの略で国連持続可能な開発のための教育の10年を意味している。

2× ESDに関するグローバル・アクション・プログラム（Global Action Programme）の略称である。国連ESDの10年の後継プログラムとして2013年11月のユネスコ総会で採択され、2014年12月の国連総会で承認された。

3× MDGsとは、ミレニアム開発目標（Millennium Development Goals）のことで、極度の貧困と飢餓の撲滅など、2015年までに達成すべきとされた8つの目標を指す。一定の成果をあげ、後継となる持続可能な開発のための2030アジェンダに引きつがれ、SDGsが設定された。

4○ 持続可能な開発目標（Sustainable Development Goals）は、人間、地球及び繁栄のための行動計画とした、17のゴールと169のターゲットからなる宣言および目標のことである。貧困に終止符を打ち、地球を保護し、すべての人が平和と豊かさを享受できるように、普遍的な行動を呼びかけている。

5× 間違えやすい選択肢である。持続可能な開発のための教育（Education for Sustainable Development）の略で持続可能な社会づくりの担い手を育む教育のことである。環境、貧困、人権、平和、開発といった様々な問題の解決につながる新たな価値観や行動を生み出し、それによって持続可能な社会を創造していくことを目指す学習や活動のことである。

（答 4）

おさえよう！

社会福祉の厳選ポイント

社会福祉の理念

ノーマライゼーション	「障害者の生活や権利の保障」を目指す取り組みを契機とする。障害の有無や高齢であるない等にかかわらず、誰もが住み慣れた地域のなかで普通に暮らしていけるように社会や環境を整えていく考え方
ナショナルミニマム	国が憲法第25条に基づき、全国民に対して保障する「健康で文化的な最低限度の生活」水準のことをいう。生活保護の仕組みはその一例である
ソーシャルインクルージョン	すべての人の共生と多様性を尊重し、一人一人を社会の構成員として認めて包み支え合うという考え方（社会的包摂とも訳され、差別や偏見とは対極にある理念）

ここだけ
おさえる

わが国の社会保険の体系

生活上の様々な困難に対して、社会全体で支え合うための制度が社会保険である。働き方によって、加入する制度とその運営主体、保険料の払い方等が異なる。

種類	主な役割	自営業者、学生等	会社員、公務員等
年金保険	老後や障害を負った時などの金銭的保障	・第1号被保険者 ・20歳になったら国民年金保険に加入 ・保険料、年金額ともに定額 ◇保険料免除制度・納付猶予制度あり	・第2号被保険者* ・国の運営する厚生年金保険に加入 ・保険料は報酬比例による（勤め先と本人で負担）
医療保険	医療にかかる費用の保障	・都道府県と市町村が共同保険者の国民健康保険に加入 ◇財政運営の責任主体は都道府県	・健康保険に加入（組合健保、共済組合など） ・保険料は報酬比例による（勤め先と本人で負担）
介護保険	介護が必要な高齢者などへの介護サービスの提供	・40歳になったら市町村が運営する介護保険に加入 ・保険料は、加入する医療保険と合わせて支払う（65歳からは年金からの天引きによる特別徴収等によって支払う）	

＊第2号被保険者に扶養されている者を第3号被保険者という

社会福祉の歴史

（1）イギリス

1601年　エリザベス救貧法（有能貧民、無能貧民、児童に分類）
1834年　新救貧法（院内救済、劣等処遇（れっとうしょぐう）、均一処遇の各原則）
1942年　ベヴァリッジ報告（五大悪、ゆりかごから墓場まで）

（2）日本

1874（明治7）年　恤救規則（じゅっきゅうきそく）
1929（昭和4）年　「救護法」
1946（昭和21）年　「生活保護法」
1947（昭和22）年　「児童福祉法*」
1949（昭和24）年　「身体障害者福祉法*」
1950（昭和25）年　「生活保護法*（旧「生活保護法」全面改正）」
1960（昭和35）年　「精神薄弱者福祉法」
1963（昭和38）年　「老人福祉法*」
1964（昭和39）年　「母子福祉法」
1981（昭和56）年　「母子及び寡婦福祉法（旧「母子福祉法」）」
1997（平成9）年　「介護保険法」
1998（平成10）年　「知的障害者福祉法*（旧「精神薄弱者福祉法」）」
2014（平成26）年　「母子及び父子並びに寡婦福祉法*（旧「母子及び寡婦福祉法」）」（原則として公布・制定年）

＊は福祉六法

バイステックの7原則

1 個別化の原則
2 意図的な感情表出の原則
3 統制された情緒的関与の原則
4 受容の原則
5 非審判的態度の原則
6 自己決定の原則
7 秘密保持の原則

※「共感」は原則には含まれない点に注意

社会福祉

/22　/22

No. 1 **社会福祉に関する用語とその説明の次の組み合わせのうち、妥当でないのはどれか。**

1　ウェルビーイング　――　肉体的、精神的、社会的にすべてが良好な状態を指し、人権や自己実現を重視した福祉を保障する理念をいう。

2　ノーマライゼーション　――　障害や能力に関係なく、すべての人が一般社会の中で普通の生活が送れるように条件を整えて、ともに生きる社会を目指していくことをいう。

3　インフォームド・コンセント　――　「説明と同意」と訳される。情報を正しく伝えて、利用者が合意や選択をすることをいう。

4　ソーシャルエクスクルージョン　――　差別や偏見から人々をまもり、社会から排除せずに共生と多様性を認めて社会の構成員として包み支え合う考え方をいう。

5　ユニバーサルデザイン　――　障害や能力に関係なく、すべての人が使いやすいように施設・製品・情報を設計（デザイン）することをいう。

解説

1○　現在の社会福祉は、ウェルビーイングの理念に基づいて展開されている。

2○　バンク・ミケルセン（N. E. Bank-Mikkelsen）によって提唱され、ニィリエ（B. Nirje）などによって世界に広められた。「障害者を訓練して社会に適応させていくこと」や「障害者の施設を解体すること」の意味ではない。

3○　福祉サービスに利用契約の仕組みが導入された現在では、インフォームド・コンセントに基づく契約が求められている。

4×　記述は、ソーシャルインクルージョン（社会的包摂）の説明である。ソーシャルエクスクルージョン（社会的排除）は、これに相反する考え方である。

5○　身近なものでは、自動ドアやセンサー式蛇口、弱い力で使えるハサミなどがある。年齢や身体の状態に関係なく、すべての人が使いやすい設計になっている。

（答　4）

No. 2 わが国の人口動態に関する次の記述のうち、最も妥当なのはどれか。

1 世界保健機関（WHO）の定義によると、高齢化率が 14% を超えた社会を超高齢社会という。

2 2022（令和 4）年「人口動態統計（確定数）の概況」によると、死因順位は第 1 位不慮の事故、第 2 位悪性新生物、第 3 位心疾患である。

3 合計特殊出生率とは、18 ～ 49 歳までの女性の年齢別出生率を合計した値をいう。

4 わが国の人口ピラミッドは、「つぼ型」に近い形で表される。

5 「令和 3 年度　全国ひとり親世帯等調査結果報告」によると、ひとり親世帯になった理由は、母子世帯・父子世帯ともに「死別」が最も多い。

解説

1 × 高齢化率（総人口に占める 65 歳以上人口の比率）が 7% を超えた社会は「高齢化社会」、14% を超えた社会は「高齢社会」、21% を超えた社会は「超高齢社会」と定義。国勢調査によると、日本は、1970（昭和 45）年に高齢化社会、1994（平成 6）年に高齢社会、2007（平成 19）年に超高齢社会を迎えた。

2 × 死因順位の第 1 位は悪性新生物であり、死亡総数の 24.6% を占める。第 2 位は心疾患（14.8%）、第 3 位は老衰（11.4%）である。以下、第 4 位に脳血管疾患（6.9%）、第 5 位に肺炎（4.7%）、第 6 位に誤嚥性肺炎（3.6%）と続く。

3 × 合計特殊出生率とは、「15 ～ 49 歳までの女性の年齢別出生率を合計した値」をいう。一人の女性がその年齢別出生率で一生の間に生む子どもの数に相当する。「人口動態統計」では、2023（令和 5）年の合計特殊出生率は 1.20。

4 ○ 2023（令和 5）年 10 月 1 日現在の「人口推計」によれば、わが国の人口ピラミッドは出生児数が第 2 次ベビーブーム期をピークに減少傾向にあることを反映して二度のベビーブーム期の人口が膨らんだ「つぼ型」に近い形となっている。

5 × ひとり親世帯についての最新の調査である「令和 3 年度　全国ひとり親世帯等調査結果報告」によると、ひとり親世帯になった理由は、母子世帯では 79.5%、父子世帯では 69.7% が「離婚」である。

（答　4）

No. 3 **国内外の社会福祉の歴史に関する次の記述のうち、最も妥当なのはどれか。**

1 1834年のイギリスで登場した新救貧法では、院外救済を原則とした。
2 エリザベス救貧法では、「ゆりかごから墓場まで」という社会保障の充実が示された。
3 C.ブースは、ナショナルミニマムの考えを提言した。
4 日本において、国民皆年金・国民皆保険が成立したのは1961（昭和36）年である。
5 方面委員制度を創設したのは、笠井信一である。

解説

1× 新救貧法では、労働能力のある貧民はワークハウスで働かせる院内救済を原則とした。このほかにも、救済水準を全国同一とした均一処遇の原則や、救済の水準は最低の生活をする労働者以下とする劣等処遇（れっとうしょぐう）の原則などを前提とした。

2× 1601年にイギリスで成立したエリザベス救貧法では、労働能力の有無で有能貧民と無能貧民に分けられ、前者は強制労働、後者は救貧院で収容保護された（児童は徒弟奉公に出された）。「ゆりかごから墓場まで」をスローガンに掲げて、当時のイギリス社会が抱えていた5大悪（窮乏、疾病、無知、不潔、怠惰）の克服に向けて社会保障の充実を提言したのは、「ベヴァリッジ報告」である。

3× C.ブースは、1886年にロンドン市で貧困調査を行い、貧困の原因は、多子や低賃金が主な要因であることを明らかにした。同時期には、S.ラウントリーが1899年にヨーク市で行った貧困調査もある。「国家が国民の最低限の生活水準を保障する」というナショナルミニマムの考えを提言したのはウェッブ夫妻である。

4○ 1961（昭和36）年に公的年金と公的医療保険への加入を義務づけたことで、国民皆年金・国民皆保険の体制がつくられた。

5× 岡山県知事であった笠井信一が創設したのは、1917（大正6）年の済世顧問制度。方面委員制度は、1918（大正7）年の大阪府で、知事の林市蔵と小河滋次郎によって創設された。これらは、現在の民生委員制度の前身とされる。

（答 4）

No.4 次のうち、福祉の専門職としての保育士に関する記述として、最も妥当なのはどれか。

1 保育士の資格は、1998（平成10）年の児童福祉法の改正によって国家資格化された。

2 保育士となる資格を有する者が保育士となるには、内閣府に置かれる保育士登録簿への登録を受けなければならない。

3 保育士が子どもの疾病について理解を深めることは大切であるが、保護者に適切な情報を伝え、啓発していく立場にはない。

4 保育士は、保育士でなくなった後においては秘密保持義務が課せられない。

5 保育士でない者が保育を行うことは、禁じられていない。

社会福祉

解説

1× 1998（平成10）年の同法施行令の改正に伴い、従来の保母から保育士に名称変更された（翌年度より）。その後、2001（平成13）年の児童福祉法の改正によって、保育士は国家資格化された（2003〔平成15〕年施行）。

2× 保育士登録簿が備えられているのは都道府県であり、都道府県知事が申請者に保育士登録証を交付する（児童福祉法第18条の18）。

3× 保育士等が子どもの疾病について理解を深めるとともに、感染予防を心がけ保護者に適切な情報を伝え、啓発していくことも大切である。疾病予防については、保護者との連絡を密にしながら一人一人の子どもの状態に応じて、嘱託医やかかりつけ医などと相談して進めていくことが必要である（保育所保育指針第1章2（2）ア（イ）②）。

4× 保育士は、正当な理由がなく業務に関して知り得た人の秘密を漏らしてはならない。保育士でなくなった後においても同様である（児童福祉法第18条の22）。

5○ 保育・介護等の行為は各々の専門職以外でも行われる行為であることから制限はない。医療行為等、一定の制限・制約を設ける場合は、その行為を業務独占と位置づけている。

（答 5）

No. 5 社会福祉法の内容に関する次の記述のうち、最も妥当なのはどれか。

1　母子生活支援施設は、第２種社会福祉事業に位置づけられている。

2　国や地方公共団体は、社会福祉法人に補助金を出すことができない。

3　社会福祉法人は、一定の条件の下に収益事業を行うことができる。

4　共同募金とは、都道府県を単位に、毎年２回、厚生労働大臣の定める期間内に行う寄附金の募集をいう。

5　共同募金は、第２種社会福祉事業に位置づけられている。

解説

1×　母子生活支援施設は、第１種社会福祉事業である（同法第２条第２項２）。DV（配偶者等からの暴力）からの保護などのシェルターとしての働きも持つ。運営主体は、原則として行政または社会福祉法人に限られる。

2×　国及び地方公共団体は、厚生労働省令や地方公共団体の条例で定める手続に従って、社会福祉法人に対して補助金を支出したり、通常の条件よりも有利な条件で貸付金を支出したり、その他の財産を譲り渡し・貸し付けることができる（同法第58条）。

3○　社会福祉法人は、その経営する社会福祉事業に支障がない限り、公益事業あるいは収益事業を行うことができる。公益事業及び収益事業に関する会計は、社会福祉法人の行う社会福祉事業に関する会計から区分して特別の会計として処理される（同法第26条）。

4×　共同募金とは、都道府県の区域を単位として、毎年１回、厚生労働大臣の定める期間内に限って行う寄附金の募集である（同法第112条）。地域福祉の推進を目的に、その寄附金を社会福祉事業や更生保護事業などに配分している。

5×　共同募金を行う事業は、社会福祉法第２条の規定にかかわらず第１種社会福祉事業に位置づけられる（同法第113条）。

（答　3）

No.6 社会福祉協議会に関する次の記述のうち、妥当でないのはどれか。

1　社会福祉協議会は、地域福祉を推進する民間の機関である。

2　社会福祉協議会は、「社会福祉法」に設置に関する内容が定められている。

3　市町村社会福祉協議会には、社会福祉を目的とする事業の企画及び実施が認められている。

4　社会福祉協議会は、日常生活自立支援事業の実施主体である。

5　社会福祉協議会は、共同募金事業を行う共同募金会の業務を兼務する。

解説

1○　社会福祉協議会は、公益性の高い民間の非営利組織である。

2○　社会福祉法第109条に「市町村社会福祉協議会」、第110条に「都道府県社会福祉協議会」、第111条に「全国社会福祉協議会」（条文上は全国を単位とする「社会福祉協議会連合会」）に関する内容が定められている。

3○　記述のとおり。市町村社会福祉協議会及び地区社会福祉協議会は、広域的に事業を実施することにより効果的な運営が見込まれる場合には、その区域を越えて社会福祉を目的とする事業を実施することができる。

4○　本事業の実施主体は、都道府県社会福祉協議会及び指定都市社会福祉協議会である。ただし、窓口業務は、利用者の利便性を考慮して市区町村社会福祉協議会等（基幹的社協）が担っている。

5×　共同募金会は、共同募金事業を行うことを目的として設立される社会福祉法人である。社会福祉協議会が兼務することを定める法令等はない。

（答　5）

No. 7 わが国の仕事と育児の両立支援策に関する記述のうち、妥当なのはどれか。

1 令和 4 年 10 月 1 日現在、育児休業の取得率は女性で約 70%、男性で約 10%である。
2 次世代育成支援対策推進法に基づき、すべての企業に一般事業主行動計画の策定が義務づけられている。
3 育児休業制度は、原則として子が 5 歳になるまで利用できる。
4 出産手当金の根拠法は、母子保健法である。
5 育児休業給付は、雇用保険法上の雇用継続給付に位置づけられている。

解説

1 × 令和 2 年 10 月～令和 3 年 9 月の 1 年間に、在職中に出産した女性で、令和 4 年 10 月 1 日までに育児休業を開始または申し出た者の割合は 80.2%、同条件下での男性の割合は 17.13%である（「令和 4 年度雇用均等基本調査」）。

2 × 一般事業主行動計画は、従業員 101 人以上の企業に策定・届出、公表・周知が義務づけられている。同計画では、次世代育成支援対策推進法に基づき、企業が従業員の仕事と子育ての両立を図るための雇用環境や多様な労働条件の整備などに取り組む計画期間、目標、対策及びその実施時期を定めている。

3 × 「育児休業、介護休業等育児又は家族介護を行う労働者の福祉に関する法律」第 5 条第 1 項により、労働者は養育する 1 歳に満たない子について育児休業が取得できる（2 歳まで延長可能）。また、「国家公務員の育児休業等に関する法律」等では、原則 3 歳まで育児休業を取得できる。

4 × 出産手当金の根拠法は、健康保険法である。出産手当金は、被保険者が出産したときに、出産の日（出産の予定日後の場合は、予定日）以前 42 日（多胎妊娠の場合は、98 日）から出産の日後 56 日までの間、労務に服さなかった期間、支給される（同法第 102 条第 1 項）。

5 ○ 雇用保険に規定される雇用継続給付は、職業生活の円滑な継続の援助と促進のため、高年齢雇用継続給付、育児休業給付、介護休業給付が支給される。育児休業給付には、育児休業期間中に支給される育児休業給付金がある。

（答 5）

No.8 社会福祉事業に関する次の記述のうち、最も妥当なのはどれか。

1　第１種社会福祉事業は、利用者の保護の必要性が高い事業が該当する。
2　第１種社会福祉事業は、届出をすることにより、すべての主体が事業経営することができる。
3　第２種社会福祉事業は、原則として、国や地方公共団体、社会福祉法人が経営する。
4　経費老人ホームは、第２種社会福祉事業に該当する。
5　保育所は、第１種社会福祉事業に該当する。

解説

1○　そのため、第１種社会福祉事業は、公共性が高く、経営が安定していることが求められる。
2×　届出によりすべての主体が事業経営できるのは、第２種社会福祉事業である。第２種社会福祉事業は、第１種社会福祉事業に比べ利用者への影響が小さいため、公的な規制が低くなっている。
3×　国や地方公共団体、社会福祉法人が原則的に経営するのは、安定した経営が求められる第１種社会福祉事業である。なお、国や地方公共団体、社会福祉法人以外の者が経営する場合は、都道府県知事の許可が必要となる。
4×　経費老人ホームは、第１種社会福祉事業に該当する。第１種社会福祉事業は、経費老人ホームの他、特別養護老人ホーム、児童養護施設、乳児院、障害者支援施設、救護施設等、主に入所型の形態をとり、利用者を保護、支援する施設が含まれる。
5×　保育所は、第２種社会福祉事業に該当する。第２種社会福祉事業は、保育所の他、デイサービス事業、福祉サービス利用援助事業、障害者への相談事業等、主に在宅の利用者向けのサービスが該当する。

（答　1）

No. 9 生活保護法に関する記述のうち、最も妥当なのはどれか。

1　生活保護の実施機関は、市区町村である。

2　2022（令和 4）年度 1 か月平均の被保護実人員・被保護世帯数は 約 202 万人（約 164 万世帯）であり、高齢者世帯が過半数を占める。

3　小学校の学校給食費は、生活扶助の対象である。

4　生活保護による扶助は、すべて現物給付によって行われる。

5　生活保護法は、生活困窮の事前予防を目的としている。

解説

1×　「都道府県知事、市長及び福祉事務所を管理する町村長」は保護の決定に関する責任や権限等を持っており、生活保護法上「保護の実施機関」として位置づけられている（同法第 19 条第 1 項）。

2○　2022（令和 4）年度 1 か月平均の被保護実人員は 2,024,586 人、被保護世帯数は 1,643,463 世帯である。高齢者世帯は 908,609 世帯と全体の 55.6%を占める。同世帯の構成割合は、2016（平成 28）年度以降を例にとっても年々増加している（「被保護者調査（令和 4 年度確定値）結果の概要」）。

3×　学校給食費は、教育扶助の対象である。このほかに、「義務教育に伴って必要な教科書その他の学用品」や「通学用品」等も含まれる（同法第 13 条）。生活扶助は、「衣食その他日常生活の需要を満たすために必要なもの」等が対象となる（同法第 12 条）。

4×　給付の方法には、現物給付と金銭給付がある。現物給付とは、物品の給与又は貸与、医療の給付、役務の提供その他金銭給付以外の方法で保護を行うことをいい、医療扶助と介護扶助が該当する。金銭給付とは、金銭の給与又は貸与による保護であり、その他の生活扶助、教育扶助、住宅扶助、出産扶助、生業扶助、葬祭扶助が該当する（同法第 6 条第 4 項・第 5 項ほか）。

5×　生活保護法は、日本国憲法第 25 条に規定する理念に基づき、国が生活に困窮するすべての国民に、その困窮の程度に応じて必要な保護を行い、「その最低限度の生活を保障する」とともに「その自立を助長する」ことを目的としている。

（答　2）

No. 10 下記の記述の（　A　）、（　B　）にあてはまる語句の組み合わせとして、最も妥当なのはどれか。

【事例】
Xさん（30歳）は3年前に離婚し、5歳と2歳の二人の娘とともに民間賃貸住宅で暮らす母子世帯である。離婚した前夫からの養育費の支払いはなく、パート収入と預貯金、児童扶養手当により生活をしている。
不景気により、パート収入が減り、半年ほど前からは体調も崩してパートも解雇されてしまった。求職活動をしているが採用に至らず、現在は預貯金も消費してしまい生活に困っている。両親や兄弟からの援助もなく途方にくれてしまい、（　A　）に相談に行ったところ（　B　）の申請を勧められた。

	(A)	(B)
1	福祉事務所	生活保護
2	福祉事務所	特別児童扶養手当
3	社会福祉協議会	生活保護
4	社会福祉協議会	特別児童扶養手当
5	社会福祉協議会	児童手当

解説

生活保護制度の利用に関する問題である。生活保護制度は、申請保護を原則としており、生活に困窮した者本人やその扶養義務者等が申請をすることで保護が開始される。生活保護申請の窓口は、主に市町村の役所内等に置かれている福祉事務所であるため、3、4、5は誤りである。

福祉事務所では、経済的に困窮した場合以外にも、日常生活上の様々な困りごとに関する相談に応じている。

特別児童扶養手当や児童手当は、貧困が要件で支給されるものではないため、2、4、5は誤りである。なお、これらの手当を受給するためには、居住地の市町村への申請が必要になる。

（答　1）

No.11 各種手帳に関する次の記述のうち、最も妥当なのはどれか。

1 身体障害者手帳を交付するのは、市町村長である。
2 発達障害を抱える児童に対しては、発達障害者手帳が交付される。
3 音声機能、言語機能の障害は、療育手帳の対象となる。
4 療育手帳の交付に必要な判定は、18歳未満の者は児童相談所が行う。
5 精神障害者保健福祉手帳は、入院している場合には交付されない。

解説

1× 身体障害者手帳を交付するのは、都道府県知事である。都道府県知事は、保護者等からの申請に基づいて審査し、その障害が別表に掲げるものに該当すると認めたときは、申請者に身体障害者手帳を交付しなければならない（身体障害者福祉法第15条）。

2× 現行の制度のなかで、発達障害者手帳という名称の手帳はない。発達障害のケースでは、状態によって療育手帳または精神障害者保健福祉手帳の交付を受けて各種の支援等を受けられる場合がある（自治体により対応は異なる）。

3× 療育手帳の対象は、知的障害であると判定された者である。音声機能、言語機能又はそしゃく機能の障害、視覚障害等が対象になるのは、身体障害者手帳である。

4○ 18歳未満の者は児童相談所、18歳以上の者は知的障害者更生相談所において、知的障害に関する判定を行う。

5× 精神障害者保健福祉手帳の交付にあたっては、入院・在宅を問わず、交付に必要な要件を満たしていることが必要になる。なお、身体障害者手帳、療育手帳と同様に年齢制限はない。

（答 4）

No. 12 利用者保護の仕組みに関する次の記述のうち、妥当でないのはどれか。

1 成年後見制度では、親族以外の第三者や法人も成年後見人になることができる。

2 日常生活自立支援事業では、預金の払い戻しや解約を行うことができる。

3 日常生活自立支援事業の根拠法は、社会福祉法である。

4 低所得者世帯、障害者世帯、高齢者世帯は、生活福祉資金貸付制度の対象である。

5 社会福祉法に基づく苦情解決責任者は、当該施設の職員以外の者から任命しなければならない。

解説

1○ 成年後見人は、個人に限らず、法人も選任できる。弁護士や司法書士、社会福祉士等の専門職のほか、社団法人、社会福祉協議会等の法人が選任された例がある。なお、成年後見人の選任は、家庭裁判所が行う（民法第843条）。

2○ 援助内容は、「福祉サービスの利用援助」「苦情解決制度の利用援助」「住宅改造、居住家屋の貸借、日常生活上の消費契約及び住民票の届出等の行政手続に関する援助等」である。これらに伴う援助内容として、設問にある「日常的金銭管理」のほか、「定期的な訪問による生活変化の察知」も含まれる。

3○ 記述のとおり。同じく、判断能力が不十分な人を支援する仕組みである。成年後見制度の主な根拠法は、「民法」「任意後見契約に関する法律」である。

4○ 実施主体は都道府県社会福祉協議会であるが、申し込み等は市区町村社会福祉協議会を通して対応が行われる。貸付の際に、原則として「連帯保証人を立てる場合は無利子」、「連帯保証人を立てない場合は年1.5%の利率」となる（一部貸付を除く）。

5× 苦情解決責任者は、苦情解決の責任主体を明確にするために「施設長、理事長等」とし、苦情受付担当者はサービス利用者が苦情の申し出をしやすい環境を整えるため「職員の中から」任命する（「社会福祉事業の経営者による福祉サービスに関する苦情解決の仕組みの指針」）。

（答 5）

No. 13 社会福祉の専門職に関する記述のうち、妥当でないのはどれか。

1　保育士は、児童福祉法に基づく名称独占の国家資格である。

2　児童委員の中から主任児童委員を指名するのは、厚生労働大臣である。

3　児童福祉法では、保育士でなくなった後も、正当な理由がなく、業務に関して知り得た人の秘密を漏らしてはならないことを規定している。

4　社会福祉士は、名称独占の国家資格である。

5　介護福祉士は、社会福祉法に規定される国家資格である。

解説

1○　保育士の根拠法は、児童福祉法である。保育士でない者は、保育士又はこれに紛らわしい名称を使用してはならない（児童福祉法第 18 条の 23）。

2○　記述のとおり。厚生労働大臣による指名は、民生委員法第 5 条の規定による推薦によって行われる（児童福祉法第 16 条第 3 項・第 4 項）。なお、同条第 2 項の規定により、民生委員法による民生委員は児童委員を兼ねる。

3○　保育士は、正当な理由がなくその業務に関して知り得た人の秘密を漏らしてはならない。保育士でなくなった後においても同様とする（児童福祉法第 18 条の 22）。この規定に違反した場合には、都道府県知事は、保育士の登録を取り消したり、期間を定めて保育士の名称の使用停止を命ずることができる（同法第 18 条の 19 第 2 項）。

4○　社会福祉士は、社会福祉士及び介護福祉士法に定める名称独占の国家資格である。同法では、誠実義務、信用失墜行為の禁止、秘密保持義務、資質向上の責務、名称の使用制限などの義務等が課されている（同法第 44 条の 2 －第 48 条）。

5×　介護福祉士は、社会福祉士及び介護福祉士法に定める名称独占の国家資格である。同法では、解説 4 の社会福祉士と同様の各義務等が課されている（同法第 44 条の 2 －第 48 条）。

（答　5）

No. 14 社会保障制度に関する次の記述のうち、最も妥当なのはどれか。

1　医療保険加入者である小学校就学前児童の自己負担率は、原則3割である。

2　介護保険の保険料の納付は40歳から始まり、40歳以上65歳未満の医療保険加入者を第1号被保険者、65歳以上の者を第2号被保険者という。

3　公的年金保険の第1号被保険者には、厚生年金保険の加入者が該当する。

4　労働者災害保険の保険料は、労使折半によって賄われる。

5　2021（令和3）年度の社会保障給付費を「医療」「年金」「福祉その他」に分類した場合、わが国では「年金」に関する給付費が「医療」を上回る。

社会福祉

解説

1×　国民健康保険及び健康保険、共済組合保険加入者の自己負担率は、原則「義務教育就学前児童」2割、「義務教育就学後～70歳未満」3割、「70～75歳未満」2割（現役並みの所得者は3割）、75歳以上が加入する後期高齢者医療制度では1割（現役並みの所得者は3割）である。

2×　介護保険制度における第1号被保険者とは「65歳以上の者」、第2号被保険者とは「40歳以上65歳未満の医療保険加入者」をいう。原則として、前者は老齢年金から介護保険料が徴収され、後者は加入している医療保険料に上乗せされて徴収される。

3×　公的年金保険の第1号被保険者には「自営業者や学生、厚生年金保険に加入していない労働者」などが該当する。「厚生年金保険の被保険者」は第2号被保険者、「第2号被保険者の被扶養配偶者」は第3号被保険者に位置づけられる。

4×　労働者災害保険の保険料は、雇用主である事業者が全額負担する。雇用されているすべての労働者の「業務中」または「通勤時」の負傷等に対して保険給付を行う仕組みである。労働者を1人でも雇用する事業所には加入義務がある。

5○　2021（令和3）年度「社会保障費用統計」によると、社会保障給付費を「医療」「年金」「福祉その他」に分類すると、「医療」は47兆4,205億円で総額に占める割合は34.2%、「年金」は55兆8,151億円で同40.2%、「福祉その他」は35兆5,076億円で同25.6%である。

（答　5）

No. 15 社会保障制度に関する次の記述のうち、最も妥当なのはどれか。

1　介護保険の保険者は、国及び都道府県である。

2　健康保険（日雇特例被保険者の保険を除く）の保険者は、全国健康保険協会及び健康保険組合である。

3　介護保険は、ナショナルミニマムの保障を直接的に担う仕組みである。

4　生活保護制度の扶助の種類は、生活扶助、教育扶助、住宅扶助、医療扶助、介護扶助、出産扶助、葬祭扶助の７つである。

5　障害基礎年金の支給は 65 歳からである。

解説

1×　介護保険法の定めるところにより介護保険を行うのは、市町村及び特別区である（介護保険法第３条第１項）。

2○　健康保険（日雇特例被保険者の保険を除く）の保険者は、全国健康保険協会及び健康保険組合とする（健康保険法第４条）。

3×　ナショナルミニマムとは、国が国民の最低限度の生活を保障する仕組みである。日本では生活保護（制度）が該当し、金銭給付・現物給付による「健康で文化的な最低限度の生活の保障」と、生活や就業状態等の立て直しを支える「自立の助長」を目的としている（生活保護法第１条）。

4×　扶助の種類は、生活扶助、教育扶助、住宅扶助、医療扶助、介護扶助、出産扶助、生業扶助、葬祭扶助の８つである（生活保護法第 11 条第１項）。これらの扶助は、要保護者の必要性に応じて、単給（１つの扶助による保護を行うこと）または併給（複数の扶助による保護を行うこと）として行われる（同条第２項）。

5×　受給資格期間が 10 年以上で原則 65 歳から支給されるのは老齢基礎年金である。障害基礎年金は、原則、国民年金加入期間中に障害者になると支給される。

（答　2）

check

●公的年金保険に関する見直し

2017（平成 29）年８月１日から、老齢基礎年金の受給資格期間が、それまでの 25 年から 10 年に短縮されている点に注意。

No.16 「保育所保育指針」に関する次の記述のうち、妥当でないのはどれか。

1　保育所は、入所する子ども等の個人情報を適切に取り扱うとともに、保護者の苦情などに対し、その解決を図るよう努める。
2　保護者に対する子育て支援を行う際には、各地域や家庭の実態等を踏まえるとともに、保護者の気持ちを受け止め、相互の信頼関係を基本に、保護者の自己決定を尊重する。
3　保育の活動に対する保護者の積極的な参加は、保護者の子育てを自ら実践する力の向上に寄与することから、これを促す。
4　保護者に育児不安等がみられる場合には、保護者の希望に応じて個別の支援を行うよう努める。
5　子どもの最善の利益を考慮し、人権に配慮した保育を行うためには、職員の研修への積極的な参加や、保育士としての責任の理解と自覚が基盤となる。

解説

「保育所保育指針解説」によると、これらの事柄の根拠は以下のとおりである。

1○　保育所では、個人情報の保護のほか、苦情解決責任者である施設長の下に、苦情解決担当者を決めて苦情受付から解決までの手続きを明確化し、内容や経過、結果について書面での記録を残すなど、体制を整備する必要がある。

2○　保育士等には、一人一人の保護者を尊重しつつ、ありのままを受け止める受容的態度が求められる。援助の過程では、保護者自らの選択、決定を支持していく視点が大切である。

3○　保護者の就労や生活の形態は多様であるため、子どもの活動への参加や、保護者同士が関わる時間の設定は容易ではないことに留意する必要がある。

4○　内容によっては、それらの知識や技術に加えて、ソーシャルワークやカウンセリング等の知識や技術を援用することが有効なケースもある。また、必要に応じて他の機関と連携した組織的な対応が検討される場合もある。

5×　職員一人一人の倫理観、人間性並びに保育所職員としての職務及び責任の理解と自覚が基盤となる。

（答　5）

No. 17 社会福祉の実施機関に関する次の記述のうち、最も妥当なのはどれか。

1 児童相談所は、都道府県、政令指定都市、児童相談所設置市に設置が義務づけられている。

2 市町村には、福祉事務所の設置が義務づけられている。

3 身体障害者更生相談所は、都道府県と政令指定都市に設置義務がある。

4 社会福祉協議会は、社会福祉法に規定される公的な地域福祉の推進機関である。

5 市区町村社会福祉協議会には、福祉活動専門員が配置されている。

解説

1 × 児童相談所は、都道府県、政令指定都市に設置が義務づけられている。児童相談所設置市のほか、児童福祉法の改正により、2017（平成29）年4月からは希望して認められれば特別区にも設置が可能になった（いずれも任意設置）。

2 × 福祉事務所は、都道府県・市・特別区に設置が義務づけられているが、町村は任意設置である。社会福祉法に規定される公的機関であり、福祉六法に定める各種サービスの事務等を担う。

3 × 身体障害者更生相談所は、都道府県に設置が義務づけられているが、政令指定都市は任意設置である。なお、知的障害者更生相談所の設置義務も同様である。

4 × 社会福祉協議会は、都道府県・政令指定都市・市区町村に任意設置されている民間団体である。各種の啓発活動やボランティア活動、福祉事業等の実施を通して、地域福祉の推進に努めている。

5 ○ 専門的な指導等を行うことを目的に、都道府県・指定都市社会福祉協議会には福祉活動指導員、市区町村社会福祉協議会には福祉活動専門員が置かれている。

（答 5）

No. 18 バイステックの７原則の「受容」に関する次の記述のうち、最も妥当なのはどれか。

1　クライエントは、自分に関する内密の情報をできるかぎり秘密のままで守りたいというニーズを持っているところから、この原則が導き出された。
2　保育士の価値観で子どもの行動の是非を決めつけてはいけないということであり、たとえ子どもに好ましくない態度がみられたとしても、その問題が「子ども自身の問題である」「家庭でのしつけの問題である」等と審判したり、それを押しつける態度をとらないという原則である。
3　子どもの行動を決めるのは、子ども自身であるという考えのもと、子どもであっても自分の人生への責任を持つ権利があり、自分の生活のあり方などを自分で選択して決定する自由を尊重しなければならないという原則である。
4　子どもの現在のあるがままの状態を受け止めるという原則である。
5　「褒めることが難しい攻撃的な行動をしている子ども」や「してはならないことをする子ども」に対しても、それには目をつぶり、褒めなければならないということを意味するものである。

解説

1×　秘密保持の原則の説明である。
2×　非審判的態度の原則のことである。審判的態度は、相手の感情を閉ざしてしまったり、信頼関係を構築しにくくしてしまう恐れがあるため、注意が必要である。
3×　自己決定の原則のことである。
4○　記述のとおりである。
5×　「受容」とは、何でも受け入れたり、甘えさせることではなく、相談者に対する基本的信頼感などを培うための基盤となる行為である。

（答　4）

No. 19 ソーシャルワーク等に関する次の記述のうち、妥当でないのはどれか。

1 リッチモンド（M.E.Richmond）は、ケースワークの母と呼ばれている。

2 ケースワークの展開過程は、一般的にはインテーク→アセスメント→インターベンション→プランニング→モニタリング→エバリュエーションの順を辿って終結する。

3 ソーシャルワーカーに接近してこないクライエントに対して、アウトリーチを検討することは専門職として適切な行為である。

4 シュワルツ（Schwartz, W.）が提唱したグループワークの理論において、準備期では波長合わせを行うことが重要である。

5 スーパービジョンの主な機能には、「教育的機能」「支持的機能」「管理的機能」がある。

解説

1○ リッチモンドは、1917年の著書『社会診断』においてケースワークの体系等を位置づけた。その後、1922年の著書『ソーシャルケースワークとは何か』においてケースワークを定義し、その後の発達の基礎を創ったことで知られる。

2× ケースワークの展開過程は、一般的には、インテーク（受理面接）→アセスメント（事前評価）→プランニング（支援計画の作成）→インターベンション（介入）→モニタリング（経過観察）→エバリュエーション（事後評価）の順を辿って終結する。

3○ ソーシャルワーカー側からクライエントに積極的に働きかける行為を意味するアウトリーチは、相談機関等で来談者を待つばかりでなく、ニーズの掘り起こしや発見の観点からも効果的な手段になる。

4○ シュワルツは、グループワークの理論を提唱したことで知られる。波長合わせとは、ソーシャルワーカーが、参加者の状況やニーズ、行動特性等を把握しておくことを意味し、準備期に行われる点に特徴がある。

5○ 記述のとおり。スーパービジョンとは、経験の浅いスーパーバイジーが、指導者であるスーパーバイザーから教育を受ける一連の過程のことをいう。

（答 2）

No. 20 「障害を理由とする差別の解消の推進に関する法律」に関する次の記述のうち、最も妥当なのはどれか。

1 この法律では、障害のある人とない人が結果的に平等であればよいとする社会を目指している。
2 この法律に定める「障害者」には、発達障害者や障害児は含まれない。
3 この法律では障害を理由として、正当な理由なく、サービスの提供を拒否したり、制限したり、条件を付けたりするような行為を禁止している。
4 合理的配慮とは、障害者が日常生活上にある社会的障壁を取り除くために実施される配慮であり、集団的対応を主とする。
5 市区町村の役所において、「障害者への対応が困難なため、本人を無視して介助者や支援者、付き添いの人だけに説明を行う」ことは差別には該当しない。

解説

1× この法律では不当な差別的取扱いを禁止し、合理的配慮の提供を求めることにより、障害のある人もない人も共に暮らせる社会を目指している。
2× この法律の「障害者」とは、身体障害のある人、知的障害のある人、精神障害のある人（発達障害のある人も含む）、その他の心や体の働きに障害がある人で、障害や社会の中にあるバリアによって、日常生活や社会生活に相当な制限を受けている人すべてを対象としている。また、障害児も含まれる。
3○ 障害者から何らかの配慮を求める意思の表明があった場合には、負担になり過ぎない範囲で、社会的障壁を取り除くために必要で合理的な配慮を行うことが求められる。こうした配慮を行わないことで、障害者の権利利益が侵害される場合には、差別に該当する。
4× 合理的配慮とは、障害者が日常生活や社会生活で受ける様々な制限をもたらす原因となる社会的障壁を取り除くために、障害者の個別の状況に応じて行われる配慮をいう。
5× 本人を含めた対応が必要であり、差別に該当する。

（答 3）

No. 21 「児童福祉施設の設備及び運営に関する基準」に基づく保育所の運営に関する次の記述のうち、最も妥当なのはどれか。

1 保育所では、避難及び消火に対する訓練を、少なくとも毎月1回は行わなければならない。

2 満3歳以上の幼児を入所させる保育所には、保育室又は遊戯室、屋外遊戯場、調理室及び便所を設ける。

3 保育士の数は、満3歳以上満4歳に満たない幼児おおむね10人につき1人以上、満4歳以上の幼児おおむね20人につき1人以上とする。

4 保育所における保育時間は、1日につき8時間を原則とし、地域の事情等を考慮して市区町村長が定める。

5 保育所における保育内容については、都道府県知事が定める指針に従う。

解説

「児童福祉施設の設備及び運営に関する基準」には、児童福祉施設の入所者が「心身ともに健やかに」「社会に適応するように」育成されることを保障するために、各施設が最低限守らなければならないことが定められている。

1 ○ 同基準第6条第2項に定められている。このほか、同基準第6条第1項では、軽便消火器等の消火用具、非常口その他非常災害に必要な設備の設置について定めている。

2 × 満2歳以上の幼児を入所させる保育所にこれらの設備が必要となる。屋外遊戯場には、保育所の付近にある公園なども含まれる。

3 × 保育士の数は、乳児おおむね3人につき1人以上、満1歳以上満3歳に満たない幼児おおむね6人につき1人以上、満3歳以上満4歳に満たない幼児おおむね15人につき1人以上、満4歳以上の幼児おおむね25人につき1人以上である。ただし、保育所1か所に対して保育士の数は2人を下ることができない。

4 × 保育時間は1日につき8時間が原則であり、その地域における乳幼児の保護者の労働時間その他家庭の状況等を考慮して保育所の長が定める。

5 × 保育所における保育の内容については、内閣総理大臣が定める指針に従う。この指針が「保育所保育指針」である。

（答 1）

No.22 福祉サービスの質の評価等に関する次の記述のうち、妥当でないのはどれか。

1 社会福祉法では、社会福祉事業の経営者に対して自らが提供する福祉サービスの質を評価するように求めている。

2 福祉サービス第三者評価事業は、法令に定める運営や基準が遵守されているかを確認するための仕組みである。

3 保育所には、第三者評価の受審は義務づけられていない。

4 福祉サービス利用者からの苦情に適切に対応するために、都道府県社会福祉協議会に運営適正化委員会が置かれている。

5 「児童福祉施設の設備及び運営に関する基準」では、利用者等からの苦情に迅速かつ適切に対応するために必要な措置を講ずることを規定している。

社会福祉

解説

1○ 社会福祉法では、「社会福祉事業の経営者は、自らその提供する福祉サービスの質の評価を行うことその他の措置を講ずることにより、常に福祉サービスを受ける者の立場に立って良質かつ適切な福祉サービスを提供するよう努めなければならない」と規定している（同法第78条）。

2× 福祉サービス第三者評価事業は、個々の事業者が事業運営における問題点を把握し、サービスの質の向上に結びつけることを目的とするものである。

3○ 保育所の第三者評価の受審は任意である。社会的養護施設（乳児院、児童養護施設、児童心理治療施設、児童自立支援施設、母子生活支援施設）については、子どもが施設を選ぶ仕組みでない措置制度が主であること等の理由から、3年に1回以上の第三者評価の受審が義務づけられている（自己評価は毎年実施）。

4○ 福祉サービス利用援助事業の適正な運営を確保し、福祉サービスに関する利用者等からの苦情を適切に解決するために、都道府県社会福祉協議会に運営適正化委員会が置かれている（社会福祉法第83条）。

5○ 児童福祉施設は、入所者またはその保護者等からの苦情に迅速かつ適切に対応するために、苦情を受け付けるための窓口を設置する等の必要な措置を講じなければならない（児童福祉施設の設備及び運営に関する基準第14条の3）。

（答 2）

おさえよう！

子ども家庭福祉の厳選ポイント

児童福祉法

第１条　全て児童は、児童の権利に関する条約の精神にのっとり、適切に養育されること、その生活を保障されること、愛され、保護されること、その心身の健やかな成長及び発達並びにその自立が図られることその他の福祉を等しく保障される権利を有する。

第２条　全て国民は、児童が良好な環境において生まれ、かつ、社会のあらゆる分野において、児童の年齢及び発達の程度に応じて、その意見が尊重され、その最善の利益が優先して考慮され、心身ともに健やかに育成されるよう努めなければならない。
2　児童の保護者は、児童を心身ともに健やかに育成することについて第一義的責任を負う。
3　国及び地方公共団体は、児童の保護者とともに、児童を心身ともに健やかに育成する責任を負う。

世界の権利宣言・条約等

白亜館（ホワイトハウス）会議（1909 年）	・セオドア・ローズベルト大統領が開催した ・「児童は緊急やむをえない理由がない限り、家庭生活から引き離されてはならない」という声明が発表された
児童の権利に関するジュネーブ宣言（1924 年）	・「人類が児童に対して最善のものを与えるべき義務」があることを宣言した ・第一次世界大戦で被害を受けた児童の救済・保護を目的に 5 つの原則を掲げた
児童権利宣言（1959 年）	ジュネーブ宣言を基礎としつつ、世界人権宣言（1948 年）の精神に基づき、「児童が幸福な生活を送り、かつ、自己と社会の福利のためにこの宣言に掲げる権利と自由を享有することができるようにする」ことを目指して公布された
国際児童年（1979 年）	国際連合は、児童権利宣言の採択 20 周年にあたる 1979 年を国際児童年と定め、世界各国で子どもの権利を守るための啓発活動が行われた
児童の権利に関する条約（子どもの権利条約）（1989 年）	・児童権利宣言に実効性を持たせるために、ポーランド政府が草案を提出した ・保護主体としての受動的権利に加えて、権利主体としての能動的権利を認めた ・日本は 1994（平成 6）年に 158 番目の批准国となった

わが国の子ども家庭福祉に関する主な法律

児童福祉法（1947〔昭和22〕年）	児童の範囲、実施機関、保育士、児童委員、児童福祉司、各種事業及び施設等を定義している
児童扶養手当法（1961〔昭和36〕年）	母子家庭の生活の安定を目的に制定 2010（平成22）年から父子家庭にも範囲を拡大
特別児童扶養手当等の支給に関する法律（1964〔昭和39〕年）	特別児童扶養手当…障害児を監護する父母等に支給 障害児福祉手当　…重度障害児本人に支給 特別障害者手当　…特別障害者本人に支給 ※施設に入所している場合等の条件下では支給されない
母子及び父子並びに寡婦福祉法（1964〔昭和39〕年）	基本方針（厚生労働大臣に策定義務）、自立促進計画（都道府県に策定の努力義務）、母子・父子自立支援員、母子・父子福祉資金の貸付、母子・父子福祉施設（母子・父子福祉センター、母子・父子休養ホーム）等について規定
母子保健法（1965〔昭和40〕年）	母子保健に関する知識の普及、母子健康手帳の交付、新生児・妊産婦への訪問指導、乳幼児の健康診査等を規定
児童手当法（1971〔昭和46〕年）	児童手当の支給に関する規定
児童虐待の防止等に関する法律（2000〔平成12〕年）	児童虐待の定義、国・地方自治体の責務、関係者の早期発見・国民の通告義務等を規定

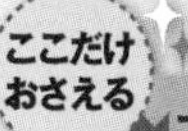

主な地域子ども・子育て支援事業

乳児家庭全戸訪問事業（こんにちは赤ちゃん事業）	生後4か月までの乳児のいるすべての家庭を訪問し、子育て支援に関する情報提供や養育環境等の把握を行う事業
養育支援訪問事業	養育支援が特に必要な児童や保護者等に対して、居宅において、養育に関する相談・指導・助言等を行う事業
地域子育て支援拠点事業	乳児または幼児及び保護者が相互の交流を行う場所を開設して、子育てについての相談・情報提供・助言等を行う事業
放課後児童健全育成事業	保護者が就労等で日中家庭にいない児童を対象に、授業の終了後に児童厚生施設等の施設を利用して適切な遊びや生活の場を与えて、健全な育成を図る事業
子育て短期支援事業	保護者の病気等により家庭での養育が一時的に困難になった児童を児童養護施設等に入所させて、必要な保護を行う事業
一時預かり事業	家庭における保育が一時的に困難となった乳幼児を、主として日中に保育所等で一時的に預かり、必要な保護を行う事業

子ども家庭福祉

/22　/22

No. 1 次のうち、人物と関連の深い組み合わせとして、妥当でないのはどれか。

1　ベヴァリッジ（W.H.Beveridge）――『社会保険及び関連サービス』
2　ウェッブ夫妻（Sidney Webb/Beatrice Webb）―ノーマライゼーション
3　エレン・ケイ（Ellen Key）――『児童の世紀』
4　アダムズ（Addams,J.）――ハル・ハウス
5　ペスタロッチ（Pestalozzi,J.H.）――『隠者の夕暮』

解説

1○　ベヴァリッジは、報告書（ベヴァリッジ報告）のなかで、人々の**5大悪**を「窮乏(want)」「疾病(disease)」「無知(ignorance)」「不潔(squalor)」「怠惰(idleness)」に分類し、これらに対応するように所得保障、医療保障、教育政策、住宅政策、雇用政策といった国家による**社会保険制度**に関する整備の必要性を説いた。

2×　ノーマライゼーションを提唱したことで最も知られているのが、**バンク・ミケルセン**の存在である。劣悪な環境下のコロニーに収容されている知的障害児者の処遇に対して、知的障害児者の親の会とともに尽力し、ノーマライゼーションの実現が目指された。

3○　『児童の世紀』は、1900年に刊行されたエレン・ケイによる著書である。そのなかでは、20世紀こそは児童の世紀として子どもが幸せに育つことのできる平和な社会を築くべき時代であることが述べられ、**児童中心主義**を唱えた。

4○　アダムズは、ロンドンの**トインビー・ホール**を参考に、アメリカにおいても同様のセツルメント活動を行える先として、ハル・ハウスを設立した。

5○　ペスタロッチは、著書『隠者の夕暮』において、「玉座の上にあっても、木の葉の屋根の蔭に住まっていても同じ人間、その本質からみた人間、そも彼は何であるか」とのフレーズを通して、人間とは何かといった点について自身に問いかけていることで知られる。

（答　2）

No. 2 **国内外の子ども家庭福祉の歴史に関する次の記述のうち、最も妥当なのはどれか。**

1　1601年に制定されたエリザベス救貧法では、劣等処遇の原則に基づいて救済が行われた。

2　1929（昭和4）年に制定された救護法は、全5条で構成され、その対象者を「無告ノ窮民」としている。

3　糸賀一雄は、1946（昭和21）年に知的障害児施設の近江学園を設立し、1963（昭和38）年に重症心身障害児施設のびわこ学園を設立した。

4　石井亮一は、非行少年に感化教育を行う家庭学校を設立した。

5　野口幽香によって創設された新潟静修学校では、乳幼児を別室で預かるようになり、後に「守孤扶独幼稚児保護会」と称する保育事業へと発展した。

解説

1×　劣等処遇の原則とは、「救済される貧民の生活水準は一般労働者の最低水準よりも下とする」考え方であり、1834年の新救貧法において取り入れられた。新救貧法はこの劣等処遇の原則のほか、院内救済の原則、均一処遇（全国的統一）の原則を含めた3原則が特徴である。エリザベス救貧法では、労働能力の有無によって、貧民を有能貧民、無能貧民、児童に分類した。

2×　記述は、1874（明治7）年の恤救規則の内容である。恤救規則の対象者は「無告ノ窮民」で、救済は「人民相互ノ情誼」による助け合いを原則としていた。

3○　糸賀一雄は1946（昭和21）年に近江学園を設立し、1963（昭和38）年にびわこ学園を設立した。「この子らを世の光に」という信念のもと、知的障害を抱えた子どもたちの支援に生涯をささげた。

4×　現在の児童自立支援施設の原型である家庭学校を設立したのは留岡幸助である。石井亮一が設立したのは、知的障害児施設の滝乃川学園である。

5×　新潟静修学校を設立したのは赤沢鍾美である。野口幽香が同僚の森島峰と設立したのは二葉幼稚園である。

（答　3）

No.3 **次の文は、児童福祉法の一部である。（　A　）～（　E　）にあてはまる語句の組み合わせとして、最も妥当なのはどれか。**

第１条　全て児童は、（　A　）の精神にのつとり、適切に養育されること、その生活を保障されること、愛され、保護されること、その心身の健やかな成長及び発達並びにその自立が図られることその他の福祉を等しく保障される権利を有する。
第２条　全て国民は、児童が（　B　）において生まれ、かつ、（　C　）において、児童の（　D　）の程度に応じて、その意見が尊重され、その（　E　）が優先して考慮され、心身ともに健やかに育成されるよう努めなければならない。

	(A)	(B)	(C)	(D)	(E)
1	児童の権利に関する条約	家庭的な環境	社会のあらゆる分野	年齢及び発達	児童の権利
2	児童の権利に関する条約	良好な環境	生活上のあらゆる場面	能力及び理解	最善の利益
3	児童の権利に関する条約	良好な環境	社会のあらゆる分野	年齢及び発達	最善の利益
4	日本国憲法	良好な環境	生活上のあらゆる場面	年齢及び発達	最善の利益
5	日本国憲法	家庭的な環境	社会のあらゆる分野	能力及び理解	児童の権利

解説

2016（平成 28）年に児童福祉法が改正され、第 1 条～第 3 条の総則部分は大幅に変更された。問題文のほかにも、第 2 条第 2 項では「児童の保護者は、児童を心身ともに健やかに育成することについて第一義的責任を負う」こと、同条第 3 項では、「国及び地方公共団体は、児童の保護者とともに、児童を心身ともに健やかに育成する責任を負う」ことを規定している。

A　児童の権利に関する条約

B　良好な環境

C　社会のあらゆる分野

D　年齢及び発達

E　最善の利益

（答　3）

No. 4 次の【Ⅰ群】の地域型保育事業についての説明と【Ⅱ群】の事業名を結び付けた場合、最も妥当なのはどれか。

【Ⅰ群】

A　保育を必要とする乳児・幼児であって、満３歳未満のものについて、当該保育を必要とする乳児・幼児を保育することを目的とする施設において保育を行う事業であり、利用定員が６人以上 19 人以下であるもの

B　家庭において必要な保育を受けることが困難である乳児・幼児であって、満３歳未満のものについて、家庭的保育者の居宅その他の場所において家庭的保育者による保育を行う事業

C　保育を必要とする乳児・幼児であって、満３歳未満のものについて、事業主がその雇用する労働者の監護する乳幼児等を保育するために自ら設置する施設又は事業主から委託を受けて当該事業主が雇用する労働者の監護する乳児若しくは幼児及びその他の乳児若しくは幼児の保育を実施する施設

D　保育を必要とする乳児・幼児であって、満３歳未満のものについて、当該保育を必要とする乳児・幼児の居宅において家庭的保育者による保育を行う事業

【Ⅱ群】

ア　家庭的保育事業　　イ　小規模保育事業

ウ　事業所内保育事業　　エ　居宅訪問型保育事業

	(A)	(B)	(C)	(D)
1	ア	イ	エ	ウ
2	イ	ア	ウ	エ
3	イ	エ	ウ	ア
4	ア	イ	ウ	エ
5	イ	ア	エ	ウ

解説

地域型保育事業は、保育を市町村による認可事業として児童福祉法に位置付けた上で、地域型保育給付の対象としている。

（答　2）

子ども家庭福祉

No.5 法による定義として、最も妥当なのはどれか。

1　母子保健法では、出生後 28 日未満の者を乳児と定義している。

2　児童福祉法では、満 1 歳に満たない者を新生児と定義している。

3　児童福祉法と少年法では、ともに、小学校就学の始期から満 18 歳に達するまでの者を少年と定義している。

4　児童福祉法では、満 1 歳から小学校就学の始期に達するまでの者を幼児と定義している。

5　母子及び父子並びに寡婦福祉法では、18 歳に満たない者を児童と定義している。

解説

1×　母子保健法では、出生後 28 日未満の者を新生児と定義している。

2×　児童福祉法では、満 1 歳に満たない者を乳児と定義している。母子保健法上も同様である。

3×　児童福祉法では、小学校就学の始期から満 18 歳に達するまでの者を少年と定義しているが、少年法では 20 歳に満たない者を少年と定義している。

4○　児童福祉法は、児童を乳児、幼児、少年に区分している。

5×　母子及び父子並びに寡婦福祉法では20歳に満たない者を児童と定義している。

（答　4）

check

●児童福祉法による児童の定義（児童福祉法第 4 条）

児童とは、満 18 歳に満たない者をいい、以下のように分ける。

1．乳児　満 1 歳に満たない者

2．幼児　満 1 歳から、小学校就学の始期に達するまでの者

3．少年　小学校就学の始期から、満 18 歳に達するまでの者

また、障害児とは、身体に障害のある児童、知的障害のある児童、精神に障害のある児童（発達障害児を含む）などをいう。

No. 6 母子保健施策に関する次の記述のうち、最も妥当なのはどれか。

1 地域子ども・子育て支援事業として実施される妊婦健康診査の実施主体は、都道府県である。

2 未熟児養育医療でいうところの未熟児とは、出生時の体重が 2,500g 未満の医療を必要とする子どもをいう。

3 児童福祉法では、1 歳 6 か月児と 3 歳児の健康診査について規定している。

4 小児慢性特定疾病医療支援の根拠法は児童福祉法である。

5 市区町村には、子育て世代包括支援センターの設置義務がある。

解説

1 × 実施主体は、**市区町村**である。妊婦健康診査とは、妊婦の健康の保持及び増進を図るため、①健康状態の把握、②検査計測、③保健指導を実施し、必要に応じて医学的検査を実施する事業である。

2 × 未熟児とは、「出生時の体重が **2,000g 以下**の医療を必要とする子ども」をいう。出生時の体重が 2,500g 未満の場合に市区町村に届け出を義務づけているのは「低（出生）体重児」のケースである。そのなかでも「1,500g 未満を極低（出生）体重児」、「1,000g 未満を超低（出生）体重児」という。

3 × 乳幼児の健康や発育・発達を目的に、定期的な健康診断にあたる 1 歳 6 か月児と 3 歳児の健康診査について規定しているのは、**母子保健法**である（母子保健法第 12 条）。

4 ○ 小児慢性特定疾病医療支援は児童福祉法に基づいて行われている。小児慢性特定疾病とは、長期の療養や生命に危険が及ぶ可能性がある疾病であって、社会保障審議会の意見を聴いて**厚生労働大臣**が定めた悪性新生物、糖尿病、先天性代謝異常、血液疾患、免疫疾患等が該当する。

5 × 市区町村における子育て世代包括支援センターの設置は**努力義務**である（任意設置）。母子保健に関して支援に必要な実情の把握等を行うことを目的に設置されている。なお、法律上は**母子健康包括支援センター**の呼称で位置づけられている（母子保健法第 22 条）。

（答 4）

子ども家庭福祉

No. 7 福祉手当に関する次の記述のうち、最も妥当なのはどれか。

1　特別障害者手当は、20 歳以上であって日常生活において常時介護を必要とする特別障害者を家庭で監護、養育している者に支給される。

2　障害児福祉手当は、20 歳未満であって日常生活において常時介護を必要とする重度障害児を家庭で監護、養育している者に支給される。

3　特別児童扶養手当は、20 歳未満であって、一定の障害等級に該当する状態にある者を監護している者に支給される。

4　児童扶養手当は、家庭等における生活の安定に寄与するとともに、次代の社会を担う児童の健やかな成長に資することを目的に、児童を養育している者に支給される。

5　児童手当は、父又は母と生計を同じくしていない児童が育成される家庭の生活の安定と自立の促進に寄与するために支給される。

解説

1×　特別障害者手当は、特別障害者本人に対して手当を支給する仕組みである。

2×　障害児福祉手当は、20 歳未満の重度障害児本人に対して支給される。

3○　記述のとおり。特別児童扶養手当、障害児福祉手当、児童手当、児童扶養手当の併給は可能である。

4×　児童手当に関する記述である。児童手当は、国内に住所を有する中学校修了前の児童を支給対象としており、児童を養育している者に手当が支給される。

5×　児童扶養手当に関する記述である。児童を監護している父母、または父母に代わってその児童を養育している者に手当が支給される。

※1～5 それぞれの手当には所得制限がある。

（答　3）

check

●児童手当の金額（2023〔令和 5〕年度）※子育て世帯への臨時特別給付金は除く

・0～3 歳未満：15,000 円　・3 歳～小学校修了前：10,000 円（第 1・第 2 子）／ 15,000 円（第 3 子以降）　・中学生：10,000 円（所得制限あり。2024〔令和 6〕年 10 月より所得制限の撤廃や高校生までの給付期間延長、第 3 子以降の給付額増額などの拡充が図られる予定。）

※支給対象には、施設入所児童等が委託されている里親、乳児院等の設置者も含まれる。

No.8 児童相談所に関する次の記述のうち、最も妥当なのはどれか。

1　児童養護施設、母子生活支援施設、児童心理治療施設、児童自立支援施設は、すべて児童相談所が入所措置を行う施設である。

2　児童相談所は、児童相談の第一義的な窓口として位置づけられている。

3　2021（令和3）年度中に児童相談所が対応した相談を種類別にみると、育成相談が最も多い。

4　児童相談所が一時保護を行うにあたっては、事前または事後に子どもや保護者の同意を得て行われることが望ましい。

5　児童相談所は必要に応じて児童を一時保護できるが、その期間は原則として2週間を超えてはならない。

子ども家庭福祉

解説

1×　措置によって行われる施設には、乳児院、児童養護施設、児童心理治療施設、児童自立支援施設などがある。母子生活支援施設、助産施設、保育所などは原則として利用契約によるものである。

2×　2004（平成16）年の児童福祉法の改正で、市町村が児童相談の第一義的な窓口に位置づけられた。これにより、児童相談所は市町村を支援する役割を担うことになった。児童相談所は児童福祉法第12条に規定されており、都道府県と指定都市に設置義務がある。

3×　2021（令和3）年度中に児童相談所が対応した相談件数は57万1,961件である。相談を種類別にみると、「養護相談」（49.5%）が最も多く、次いで「障害相談」（35.6%）、「育成相談」（7.3%）となっている（福祉行政報告例）。

4○　事前または事後に子どもや保護者の同意を得て行うことが望ましい。一時保護の理由や必要性等について理解と協力を得られるように努力すべきであるが、緊急を要する場合には、同意を得なくても一時保護を行うことができる。

5×　一時保護の期間は原則として2か月を超えてはならない。ただし、児童相談所長または都道府県知事等が必要があると認めるときは、引き続き一時保護を行うことができる。

（答　4）

No. 9 ひとり親家庭に関する次の記述のうち、最も妥当なのはどれか。

1　母子生活支援施設には、父子家庭の父と子も入所することができる。

2　「令和３年度　全国ひとり親世帯等調査結果報告」（厚生労働省）によると、母子世帯の世帯数は、平成28年度の調査時に比べ増えている。

3　「令和３年度　全国ひとり親世帯等調査結果報告」（厚生労働省）によると、母子世帯の母の就業者のうち、パート・アルバイト等の割合は約４割となっている。

4　母子・父子福祉センターは、無料又は低額な料金で、母子家庭等に対して、レクリエーションなど休養のための便宜を供与する施設である。

5　児童扶養手当は、父子家庭には支給されない。

解説

1×　母子生活支援施設は、母子家庭の母とその子どもを対象とした施設である。

2×　同調査によると、ひとり親世帯のうち、母子世帯の数は119.5万世帯となっており、平成28年度の調査時の123.2万世帯より減少している。

3○　同調査によると、母子世帯の母の就業者のうち、正規の職員・従業員の割合は48.8%、パート・アルバイト等の割合は38.8%となっている。なお、父子世帯の父の就業者のうち、正規の職員・従業員の割合は69.9%、パート・アルバイト等は4.9%となっており、パート・アルバイト等で雇用されている割合は、父子世帯の父より母子世帯の母の方が多い。

4×　選択肢の内容は、母子・父子休養ホームに関する内容である。母子・父子福祉センターは、無料又は低額な料金で、母子家庭等の相談に応ずるとともに、母子家庭等の福祉のための便宜を総合的に供与する施設である。

5×　2010（平成22）年の「児童扶養手当法」改正により、母子家庭だけでなく、父子家庭にも児童扶養手当が支給されることになった。

（答　3）

No. 10 少年非行に関する次の記述のうち、最も妥当なのはどれか。

1　児童福祉法では、「少年の健全な育成を期し、非行のある少年に対して性格の矯正及び環境の調整に関する保護処分を行うとともに、少年の刑事事件について特別の措置を講ずること」を定めている。
2　罪を犯した少年、14歳に満たないで刑罰法令に触れる行為をした少年、一定の事由がありその性格または環境に照して将来、罪を犯し、または刑罰法令に触れる行為をする虞のある少年は、いずれも刑法に基づいて家庭裁判所の審判に付される。
3　刑法における秘密漏示罪等の守秘義務に関する法律の規定に従い、非行の通告は本人への事実確認をしてから行われることが望ましい。
4　少年院への収容年齢は、おおむね12歳以上である。
5　少年刑務所は、少年法に基づく刑事収容施設である。

解説

1×　少年法第1条の内容の一部である。なお、2022（令和4）年4月施行の改正法では、「少年」を20歳未満とした上で、同日施行の18歳以上を成年とする改正民法に合わせて18・19歳は「特定少年」とされることになった。全事件が家庭裁判所送致の対象だが、検察官送致となる対象犯罪が成人同様に拡大された。

2×　順に「犯罪少年」、「触法少年」、「虞犯（ぐはん）少年」という。いずれも、少年法に基づき家庭裁判所の審判に付される。わが国では、非行児童への対応は「児童福祉法」と「少年法」の2つの法律によって行われている。

3×　刑法の秘密漏示罪の規定や、その他の守秘義務に関する法律の規定は、要保護児童を発見した際の通告を妨げるものと解釈してはならない（児童福祉法第25条第2項）。よって、各法における守秘義務よりも通告義務が優先される。

4○　2007（平成19）年の少年法改正により、それまで「14歳以上」であった第一種少年院への収容年齢の下限が、「おおむね12歳以上」に定められた。

5×　少年刑務所は、「刑事収容施設及び被収容者等の処遇に関する法律」に基づき犯罪少年を対象に設置されている刑事収容施設である。

（答　4）

No. 11 **わが国の子ども・子育て家庭支援に関する次の記述のうち、最も妥当なのはどれか。**

1　1994（平成6）年の「エンゼルプラン」では、子育て支援施策の基本的方向と重点施策が目標数値とともに掲げられた。

2　「エンゼルプラン」の施策の具体化の一環で、「緊急保育対策等5か年事業」が策定された。

3　「新エンゼルプラン」（1999〔平成11〕年）では、幅広い少子化対策が盛り込まれ、「仕事と子育ての両立」だけでない地域における総合的な子育て支援策が示された。

4　2003（平成15）年には、少子化対策への取り組みを進めるための「次世代育成支援対策推進法」が期限を定めない法律として成立した。

5　「子ども・子育て応援プラン」では、保育関係事業を中心に目標値を設定しているが、若者の自立や働き方の見直し等の目標値の設定までは至っていない。

解説

1×　数値目標が示されたのは、1995（平成7）年の「緊急保育対策等5か年事業」が初めてである。

2○　「緊急保育対策等5か年事業」では、保育サービスの拡充（低年齢児の受け入れ拡大、延長保育の充実等）や放課後児童対策の拡充が示された。

3×　男性を含めた働き方の見直しや、地域における子育て支援等に総合的に取り組むことを示したのは「少子化対策プラスワン」（2002〔平成14〕年）である。

4×　「次世代育成支援対策推進法」は2015（平成27）年3月31日までの時限立法（有効期間のある法律）として成立した。

5×　「子ども・子育て応援プラン」では、少子化社会対策大綱が掲げる4つの重点目標に沿って、具体的な施策内容と目標を掲げている（若者の自立や働き方の見直し等も含めた幅広い分野で具体的な目標値を設定している）。

（答　2）

No. 12 地域子ども・子育て支援事業に関する次の記述のうち、最も妥当なのはどれか。

1　地域子ども・子育て支援事業は、都道府県子ども・子育て支援事業計画に基づいて実施される事業である。

2　地域子育て支援拠点事業は、民間事業者による運営が認められている。

3　養育支援訪問事業とは、身近な場所で、教育・保育施設や地域子ども・子育て支援事業等の利用にあたっての相談や情報提供等を行う事業である。

4　ファミリー・サポート・センター事業とは、乳幼児及びその保護者が相互の交流を行う場所を開設し、子育てについての相談、情報の提供等を行う事業をいう。

5　都道府県と市町村はそれぞれ事業の２分の１の費用を負担する。

解説

1×　地域子ども・子育て支援事業とは、地域の実情に応じて市町村子ども・子育て支援事業計画に従って実施される事業である。子ども・子育て支援法に基づいて、市町村子ども・子育て支援事業計画は国の基本指針に即して5年を1期として作成される。

2○　実施主体は、市町村（特別区を含む）、社会福祉法人、NPO法人のほか、民間事業者等への事業委託が認められている。

3×　養育支援訪問事業とは、子育てに対して不安や孤立感等を抱える家庭等に対して、子育て経験者等による育児・家事の援助、保健師等による養育に関する指導・助言等を実施する事業をいう。記述は、利用者支援事業の説明である。

4×　ファミリー・サポート・センター事業とは、「乳幼児や小学生等の児童を有する子育て中の労働者や主婦等を会員として、児童の預かりの援助を受けることを希望する者と当該援助を行うことを希望する者との相互援助活動に関する連絡、調整を行うもの」をいう。記述は、地域子育て支援拠点事業の説明である。

5×　子ども・子育て支援法に基づき、国と都道府県は、妊婦健康診査を除く各事業にあてるための交付金を交付することができる（費用負担割合は国・都道府県・市町村それぞれ3分の1）。

（答　2）

No. 13 次の文は「全国保育士会倫理綱領」の一部である。（　A　）～（　D　）にあてはまる語句の正しい組み合わせとして、最も妥当なのはどれか。

前文（略）

1．　私たちは、一人ひとりの子どもの（　A　）を第一に考え、保育を通してその福祉を積極的に増進するよう努めます。

2．　（略）

3．　（略）

4．　私たちは、一人ひとりの（　B　）を保護するため、保育を通して知り得た個人の情報や秘密を守ります。

5．　（略）

6．　私たちは、日々の保育や子育て支援の活動を通して子どものニーズを受けとめ、子どもの立場に立ってそれを（　C　）します。また、子育てをしているすべての保護者のニーズを受けとめ、それを（　C　）していくことも重要な役割と考え、行動します。

7．　私たちは、地域の人々や関係機関とともに（　D　）を支援し、そのネットワークにより、地域で子どもを育てる環境づくりに努めます。

8．　（略）

	（A）	（B）	（C）	（D）
1	健やかな成長	プライバシー	代弁	子育て
2	健やかな成長	人権	擁護	家庭
3	最善の利益	プライバシー	弁護	子育て
4	最善の利益	人権	擁護	家庭
5	最善の利益	プライバシー	代弁	子育て

解説

A　最善の利益　　B　プライバシー　　C　代弁　　D　子育て

全国保育士会倫理綱領では、前文において「子どもが現在（いま）を幸せに生活し、未来（あす）を生きる力を育てる保育の仕事に誇りと責任をもって、自らの人間性と専門性の向上に努め、一人ひとりの子どもを心から尊重」するとの立場を示している。

（答　5）

No. 14 **次のA～Eは、児童福祉（子ども家庭福祉）に関する法律である。成立順に並べた場合の組み合わせとして、最も妥当なのはどれか。**

A　「母子福祉法」（現、「母子及び父子並びに寡婦福祉法」）
B　「児童福祉法」
C　「児童虐待の防止等に関する法律」
D　「児童扶養手当法」
E　「少子化対策基本法」

1　B→D→A→C→E
2　B→A→D→C→E
3　B→D→A→E→C
4　D→B→A→E→C
5　D→B→C→A→E

解説

以下に示す各法の制定年から、B→D→A→C→Eの順が正しい。児童福祉に関する主な法律とその制定年として、恤救規則（1874〔明治7〕年）、特別児童扶養手当等の支給に関する法律（1964〔昭和39〕年）、児童手当法（1971〔昭和46〕年）、児童買春、児童ポルノに係る行為等の規則及び処罰並びに児童の保護等に関する法律（1999〔平成11〕年）、次世代育成支援対策推進法（2003〔平成15〕年）、発達障害者支援法（2004〔平成16〕年）等もおさえておきたい。

A　母子福祉法（現、「母子及び父子並びに寡婦福祉法」）が制定されたのは、1964（昭和39）年である。
B　児童福祉法が制定されたのは、1947（昭和22）年である。
C　児童虐待の防止等に関する法律（児童虐待防止法）が制定されたのは、2000（平成12）年である。
D　児童扶養手当法が制定されたのは、1961（昭和36）年である。
E　少子化対策基本法が制定されたのは、2003（平成15）年である。

（答　1）

No.15 次のA～Dの文章と関連のある施設種別ア～カの組み合わせとして、最も妥当なのはどれか。

A　地域の児童の福祉に関する問題につき、児童に関する家庭その他からの相談のうち、専門的な知識及び技術を必要とするものに応じ、必要な助言を行うとともに、市町村の求めに応じ、技術的助言その他必要な援助を行う。

B　乳児を入院させて、これを養育し、あわせて退院した者について相談その他の援助を行うことを目的とする施設。

C　児童に健全な遊びを与えて、その健康を増進し、又は情操をゆたかにすることを目的とする施設。

D　保護者のない児童、虐待されている児童その他環境上養護を要する児童を入所させて、これを養護し、あわせて退所した者に対する相談その他の自立のための援助を行うことを目的とする施設。

【施設種別】

ア　児童養護施設　　イ　児童厚生施設　　ウ　児童相談所
エ　助産施設　　オ　児童家庭支援センター　　カ　乳児院

(組み合わせ)

1　A—ウ　B—エ　C—イ　D—ア
2　A—ウ　B—カ　C—ア　D—エ
3　A—オ　B—カ　C—ア　D—エ
4　A—オ　B—エ　C—イ　D—ア
5　A—オ　B—カ　C—イ　D—ア

解説

児童相談所については児童福祉法第12条、その他の児童福祉施設については同法第36条～第44条の2において、それぞれの目的とするところが示されている。

Aオ　児童家庭支援センター　　Bカ　乳児院
Cイ　児童厚生施設　　Dア　児童養護施設

(答　5)

No. 16 児童虐待に関する次の記述のうち、最も妥当なのはどれか。

1 近年の児童相談所における児童虐待相談の対応件数は減少傾向にある。
2 児童虐待を種類別にみると、心理的虐待が最も多く、次いで身体的虐待である。
3 児童相談所に寄せられた虐待相談の相談経路は、警察等からが最も多く、次いで家族・親戚からが多い。
4 母子生活支援施設の被虐待経験がある入所児童の割合は、7 割を超えている。
5 児童虐待に関する相談は、主に児童相談所が受ける養育相談に含まれる。

解説

1 × 「令和 4 年度児童相談所における児童虐待相談対応件数（速報値）」によれば、2022（令和 4）年度の虐待対応件数は約 21 万 9 千件であり、「児童虐待の防止等に関する法律（児童虐待防止法）」が施行されてから毎年増加傾向にある。

2 ○ 同調査によれば、2022（令和 4）年度は、心理的虐待が 59.1%で最も多く、次いで身体的虐待が 23.6%となっている。

3 × 同調査によると児童相談所に寄せられた虐待相談の相談経路別件数は、警察等からが全体の 51.5%で最も多く、次いで近隣・知人 11.0%、家族・親戚 8.4%となっている。

4 × 「児童養護施設入所児童等調査の概要（令和 5 年 2 月 1 日現在）」によると、母子生活支援施設の入所児童の「虐待経験あり」の割合は、65.2%である。

5 × 児童虐待に関する相談は、主に養護相談に含まれる。児童虐待関連の相談数の増加もあって、養護相談の割合は年々増加している。一方で、他の相談窓口などで対応ができる育成相談の割合は年々減少している。

（答 2）

Key word 児童虐待

児童虐待の防止等に関する法律（児童虐待防止法）では、児童虐待を**身体的虐待**、**性的虐待**、**ネグレクト**、**心理的虐待**に分類している。
※**経済的虐待**が含まれるのは高齢者虐待等である点に注意。

No. 17 児童虐待への対応についての次の記述のうち、最も妥当なのはどれか。

1　日本で最初に児童虐待に関する法律が制定されたのは、1933（昭和 8）年である。

2　児童虐待の防止等に関する法律（児童虐待防止法）では、児童虐待を発見した者の通告は努力義務である。

3　児童相談所長は、特定の条件の下に、保護者に対して児童への接近禁止命令を出す権限がある。

4　児童相談所長は、親の親権停止の審判請求を行う権限があるが、親権喪失の審判請求を行う権限はない。

5　児童虐待を受けたと思われる児童を発見した場合には、民生委員を通して通告することができる。

解説

1○　日本では、1933（昭和 8）年に（旧）児童虐待防止法が制定された。すべての 14 歳未満の児童を対象としており、虐待を行った者の処罰を規定するものではなく、児童の保護・救済を目的とする法律であった。その後、1947（昭和 22）年制定の児童福祉法に含まれる形で廃止されている。

2×　2000（平成 12）年に制定された現行の児童虐待防止法第 6 条に明記されている。児童虐待を受けたと思われる児童を発見した者は、速やかに市町村・都道府県の設置する福祉事務所や児童相談所等に通告しなければならない。なお、通告にあたっては、刑法の秘密漏洩罪や各法の守秘義務違反にはあたらない。

3×　都道府県知事は、子どもに強制入所等の措置を行った場合であって、特に必要があるときは、保護者に対して 6 か月を超えない期間を定めて子どもへのつきまといや子どもの居場所付近での徘徊の禁止を命令できる。

4×　児童相談所長は、親が親権を濫用（らんよう）する場合などに親権停止や親権喪失の審判請求を行うことができる（児童福祉法第 33 条の 7）。

5×　児童虐待防止法第 6 条に明記されている。児童虐待を受けたと思われる児童を発見した者は、速やかに市町村、都道府県の設置する福祉事務所や児童相談所、児童委員を介して通告をしなければならない。

（答　1）

No. 18 里親に関する次の記述のうち、妥当でないのはどれか。

1　2021（令和3）年3月末におけるわが国の里親等委託率（里親及びファミリーホームへの委託率）は20%台の値である。

2　養育里親になるには、市町村に申し込みを行い、研修等を受ける必要がある。

3　専門里親とは、虐待などで影響を受けた子どもや障害がある子ども等、特別な配慮が必要な子どもを養育する里親である。

4　親族里親とは、要保護児童の扶養義務者及びその親族が養育里親に準じて子どもを養育する里親である。

5　養子縁組里親が養子縁組によって未成年者を養子にする際には、家庭裁判所への申請が必要となる。

解説

1○　「社会的養育の推進に向けて（令和5年4月）」（こども家庭庁）によると、里親等委託率は年々増加しているが、2021（令和3）年3月末において、その値は23.5%であり、依然として低い。

2×　養育里親になることを希望する者は、児童相談所に申し込みを行い、都道府県が行う研修（5年ごとの更新時に研修が必要）を受講する。里親制度は児童福祉法に基づいて運営されており、里親の認定は、児童福祉審議会の意見を踏まえて都道府県知事が行う。

3○　他に、非行傾向のある子ども等も含まれる。

4○　親族里親は、両親等子どもを現に監護する者が、死亡、行方不明、拘禁、疾病による病院への入院等の状態になったことにより、これらの者による養育が期待できない場合に、子どもの福祉の観点から扶養義務者及びその配偶者である親族に委託される制度である。

5○　養子縁組には、家庭裁判所の許可が必要な普通養子縁組と、審判を必要とする特別養子縁組がある。養子縁組に関しては民法に規定されている。

（答　2）

No.19 子どもの権利に関する次の記述のうち、最も妥当なのはどれか。

1 アドボカシーとは、本人の持っている強みを生かして自ら課題を解決していけるように側面的に支援していくことをいう。

2 施設入所や里親委託の際に配布されている子どもの権利ノートは、児童福祉法において作成と配布が義務づけられている。

3 「児童の権利に関する条約」では、児童福祉施設が児童に関する措置を採る際には、児童を現に監護する者の意向を主として考慮するとしている。

4 児童の施設入所にあたっては児童福祉施設の長に懲戒権が認められている。

5 「児童福祉法」では、被措置児童等虐待を受けたと思われる児童を発見した者の通告義務を規定している。

解説

1 × 記述は、エンパワメントの説明である。アドボカシー（権利擁護）とは、不当な差別や虐待から当事者を守ったり、当事者の発達や心身の状況に応じて代わりに伝えたりする（代弁する）ことをいう。

2 × 子どもの権利ノートには、「保障されている権利」「権利の行使」「緊急連絡先」等が分かりやすく書かれている。権利擁護の観点から作成や配布が推奨されているが、義務化はされていない（児童福祉法上に規定はない）。

3 × 同条約の第 3 条では、「児童に関するすべての措置をとるにあたっては、公的若しくは私的な社会福祉施設、裁判所、行政当局又は立法機関のいずれによって行われるものであっても、児童の最善の利益が主として考慮されるものとする」としている。

4 × かつては一定の範囲内で懲戒が認められていたが、2022 年 12 月の民法改正に伴い、児童福祉法も改正され、削除された。児童福祉施設の長等は、監護及び教育に関し、その児童の福祉のため必要な措置をとることができ、この場合、児童の人格を尊重するとともに、その年齢及び発達の程度に配慮しなければならず、かつ、体罰その他の児童の心身の健全な発達に有害な影響を及ぼす言動をしてはならないとされた。

5 ○ 児童福祉法第 33 条の 10 ～ 17 に、被措置児童等虐待の防止が規定されており、被措置児童等虐待を受けたと思われる児童を発見した場合には通告義務がある。

（答 5）

No. 20 **障害児に関する次の記述のうち、妥当でないのはどれか。**

1 児童発達支援とは、日常生活における基本的な動作の指導、知識技能の付与、集団生活への適応訓練その他の内閣府令で定める便宜を供与することをいう。

2 居宅訪問型児童発達支援及び保育所等訪問支援は、いずれも障害児通所支援に含まれる。

3 放課後等デイサービスでは、幼稚園に通う児童も対象に含まれる。

4 児童福祉法における障害児の定義には、発達障害児が含まれる。

5 里親制度において、身体障害、知的障害、精神障害がある児童を委託できるのは専門里親である。

解説

1○ 記述のとおり。障害児を、児童発達支援センターその他の内閣府令で定める施設に通わせて実施される（児童福祉法第6条の2の2第2項）。

2○ 障害児通所支援とは、児童発達支援、医療型児童発達支援、放課後等デイサービス、居宅訪問型児童発達支援及び保育所等訪問支援をいう（同法第6条の2の2第1項）。

3× 放課後等デイサービスとは、学校教育法第1条に規定する学校（幼稚園及び大学を除く）に就学している障害児が対象である。授業の終了後又は休業日に児童発達支援センター等に通わせて、生活能力の向上のために必要な訓練、社会との交流の促進等を供与するものである（同法第6条の2の2第4項）。

4○ 児童福祉法において、障害児とは、身体に障害のある児童、知的障害のある児童、精神に障害のある児童（発達障害児を含む）等をいう（同法第4条第2項）。

5○ 記述のとおり。このほかに専門里親は、児童虐待等により心身に有害な影響を受けた児童や、非行等の問題のある児童も対象とする。

（答 3）

No. 21 **次の事例を読んで、Aちゃんの父親に対して、今後の生活のために利用を勧めるサービスとして、妥当でないのはどれか。**

【事例】

Aちゃん（女児：5歳2か月）は、1歳からP保育所を利用しており、現在5歳児の「あお組」にいる。ここ数週間はAちゃんの父親が送迎をしているが、お迎えの時間に遅れてくることが度々あるなど、保育所は家庭の様子が気がかりであった。

そこで、保育所が父親と話をすると、以下の状況がわかった。

・先月に離婚をして父親が親権を持つことになった。

・職場の同僚や父親の両親などが子育ての相談に乗ってくれるが、家事やAちゃんの世話を頼める人が近くにおらず、週末や仕事が遅くなる日は特に困っている。

・Aちゃんは体調を崩しやすく、仕事の休みを調整することに苦労している。

1 ひとり親家庭等日常生活支援事業
2 延長保育事業
3 養育支援訪問事業
4 病児保育事業
5 子育て短期支援事業

解説

養育支援訪問事業とは、乳児全戸家庭訪問事業等によって把握された要支援児童・特定妊婦に対して、養育が適切に行われるように各種の助言や指導等の必要な支援を行う事業をいう。今回の事例は、そもそも対象となるケースではないため、利用を勧めるサービスとして適切でない。

（答　3）

No. 22 児童の支援に携わる機関・施設に配置されている職員に関する次の記述のうち、妥当でないのはどれか。

1 児童相談所には、法律に関する専門的な業務を適切かつ円滑に行うために弁護士の配置（準ずる措置を含む）が義務づけられている。

2 児童相談所には、家庭支援専門相談員の配置が義務づけられている。

3 家庭相談員は、都道府県または市町村の福祉事務所に置かれる家庭児童相談室に配置が義務づけられている。

4 児童福祉司は、児童の保護や福祉に関する相談に応じ、専門的技術に基づいて必要な指導を行う職員であり、児童相談所に配置が義務づけられている。

5 児童養護施設には、児童指導員の配置が義務づけられている。

子ども家庭福祉

解説

1○ 児童福祉法の改正によって、新たに弁護士などの配置が義務づけられた（「これに準ずる措置」でも可）。児童相談所は、弁護士や弁護士会と連携を図りつつ、法的対応が必要な場面に適切に応じていくことが求められる。

2× 家庭支援専門相談員が配置される施設は、乳児院、児童養護施設、児童心理治療施設、児童自立支援施設である。

3○ 家庭相談員は、家庭児童福祉に関する専門的技術を必要とする相談業務を行う職種として、家庭児童相談室に配置が義務づけられている。

4○ 児童福祉司は、児童福祉法第 13 条において児童相談所に配置が義務づけられている専門職である。2020（令和 2）年 4 月 1 日施行の改正法では、児童福祉司の中には、他の児童福祉司がその職務を行うために必要な専門的な技術に関する指導及び教育を行う児童福祉司（スーパーバイザー）が含まれなければならないとされた。

5○ 児童指導員は、児童養護施設、福祉型障害児入所施設、医療型障害児入所施設、児童発達支援センター（2024〔令和 6〕年 4 月より福祉型と医療型が一元化）、児童心理治療施設に配置が義務づけられている。児童厚生施設（児童館・児童遊園）に置かれる児童の遊びを指導する者と混同しないように注意する。

（答　2）

おさえよう！

社会的養護の厳選ポイント

社会的養護の理念

社会的養護とは、保護者のいない児童、保護者に監護させることが適当でない児童などの「家庭養育が困難な児童（要保護児童）」に対して、①公的責任で社会的に養育・保護する、②養育に大きな困難を抱える家庭への支援を行う、ことである。「子どもの最善の利益のため」と「社会全体で子どもを育む」ことを理念として行われている。

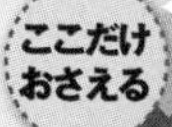

社会的養護の体系

施設養護	家庭養護
児童養護施設 乳児院 母子生活支援施設 児童自立支援施設 児童心理治療施設 など **家庭的養護** 地域小規模児童養護施設（グループホーム） 小規模グループケア（分園型） など	里親 ・養育里親 ・専門里親 ・養子縁組里親 ・親族里親 小規模住居型児童養育事業（ファミリーホーム）

家庭と同様の環境における養育の推進

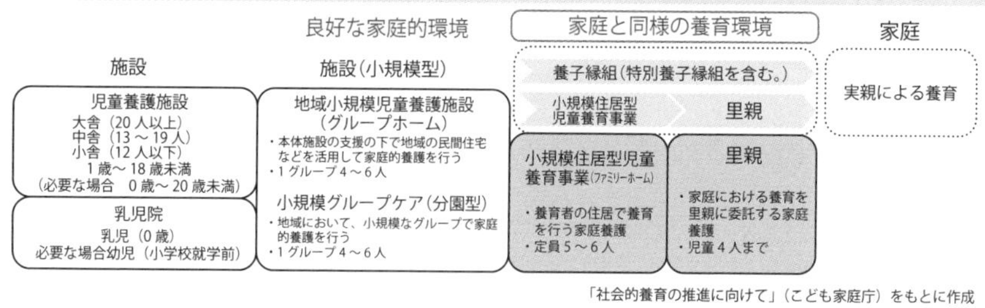

「社会的養育の推進に向けて」（こども家庭庁）をもとに作成

① まずは、児童が家庭において健やかに養育されるよう、保護者を支援する。

② 家庭における養育が適当でない場合、児童が「家庭における養育環境と同様の養育環境」において継続的に養育されるよう、必要な措置を講ずる。特に、就学

前児童については、②の措置を原則とする。

③ ②の措置が適当でない場合、児童が「できる限り良好な家庭的環境」で養育されるよう、必要な措置を講ずる。

ここだけおさえる

社会的養護の現状

児童養護施設等の委託（入所）児童には被虐待経験のある児童が多い（乳児院は約3人に1人、児童養護施設は約2人に1人）。入所時の保護者の状況に目を向けると、親（両親またはひとり親）のいる児童が多い。

施設種別		乳児院	児童養護施設	児童心理治療施設	児童自立支援施設
入所経路 上位3つ （その他を除く）		①家庭から 43.8% ②医療機関から 42.6% ③乳児院から 3.4%	①家庭から 62.4% ②乳児院から 22.5% ③他の児童福祉施設から 4.0%	①家庭から 60.9% ②児童養護施設から 15.5% ③医療機関から 9.9%	①家庭から 59.3% ②児童養護施設から 15.7% ③家庭裁判所から 12.3%
委託（入所）時の平均年齢		0.4歳	6.7歳	10.2歳	12.8歳
平均在所期間		1.4年	5.2年	2.5年	1.1年
心身の状況該当ありの割合		27.0%	42.8%	87.6%	72.7%
養護問題 発生理由 （上位5つ）		①母の精神疾患等 24.6% ②母の放任・怠だ 14.9% ③母の虐待・酷使 8.1% ④破産等の経済的理由 6.2% ⑤養育拒否 5.9%	①母の放任・怠だ 16.4% ②母の虐待・酷使 15.0% ③母の精神疾患等 14.5% ④父の虐待・酷使 12.5% ⑤養育拒否 4.7%	①児童の問題による監護困難 34.7% ②母の虐待・酷使 15.4% ③父の虐待・酷使 14.9% ④母の放任・怠だ 10.0% ⑤母の精神疾患 6.7%	①児童の問題による監護困難 64.3% ②父の虐待・酷使 7.2% ③母の虐待・酷使 7.0% ④母の放任・怠だ 5.1% ⑤母の精神疾患 4.1%
被虐待経験*	あり	50.5%	71.7%	83.5%	73.0%
	なし	47.9%	25.0%	14.5%	23.1%
虐待の種類 （複数回答）		身体的虐待 23.6% 性的虐待 0.1% ネグレクト 67.4% 心理的虐待 20.4%	身体的虐待 42.4% 性的虐待 5.2% ネグレクト 61.2% 心理的虐待 33.1%	身体的虐待 68.3% 性的虐待 8.2% ネグレクト 45.6% 心理的虐待 48.8%	身体的虐待 66.4% 性的虐待 5.9% ネグレクト 41.5% 心理的虐待 47.0%

＊「被虐待経験」は、この表の「あり」「なし」のほかに不明も含めて100%となる

「児童養護施設入所児童等調査の概要（令和5年2月1日現在）」より

社会的養護

/18 /18

No.1 社会的養護に関する次の記述のうち、最も妥当なのはどれか。

1　社会的養護とは、親または親族が保護者として養育に責任を持つとともに、公的責任で社会的に養育し、保護することである。

2　保育所や障害児通所施設は、社会的養護における支援的養護に位置づけられる。

3　社会的養護では、家庭的な養育環境のなかで、複数の大人との継続的で安定した愛着関係を重視している。

4　社会的養護では、里親は家庭的養護に位置づけられている。

5　児童心理治療施設や児童自立支援施設のなかには、そこで生活をしている児童の義務教育の場として、施設内に分校・分教室が設置されている。

解説

1×　社会的養護とは、家庭養育が困難になった子ども（要保護児童）に対して、公的責任で社会的に養育・保護するとともに、養育に大きな困難を抱える家庭への支援を行うことをいう。

2×　保育所や障害児通所施設は、補完的養護であるとされている。支援的養護であるとされているのは、母子生活支援施設や児童家庭支援センターなどである。

3×　社会的養護では、家庭的な養育環境のなかで、特定の大人との継続的で安定した愛着関係を形成することを重視している。

4×　里親や小規模住居型児童養育事業（ファミリーホーム）は、家庭養護に位置づけられている。一方、家庭的養護に位置づけられているのは、地域小規模児童養護施設（グループホーム）や小規模グループケアである。

5○　児童心理治療施設や児童自立支援施設では、施設内に分校・分教室が設置されている場合がある。

（答　5）

No. 2 社会的養護に関する歴史的人物とその人物に関係する施設の組み合わせとして、妥当でないのはどれか。

1 松方正義 —— 日田養育館
2 石井十次 —— 岡山孤児院
3 留岡幸助 —— 家庭学校
4 糸賀一雄 —— 滝乃川学園
5 高木憲次 —— 整肢療護園

解説

1○ 現在の大分県（当時の日田県）知事であった、松方正義が、棄児、孤児、貧困家庭の乳児を救済するために日田養育館（現在の児童養護施設）を設立した。

2○ 石井十次が設立したのは、岡山孤児院（現在の児童養護施設）である。

3○ 留岡幸助が設立したのは、家庭学校（現在の児童自立支援施設）である。

4× 糸賀一雄が設立したのは、現在の知的障害児施設であり、重症心身障害児施設でもある、近江学園である。滝乃川学園（現在の知的障害児施設）を設立したのは、石井亮一である。

5○ 高木憲次が設立したのは、整肢療護園（現在の肢体不自由児施設）である。「療育」や「肢体不自由」は高木の造語であるといわれている。

（答 4）

check
●その他社会的養護に関する歴史的人物

人物	施設	主な対象
池上雪枝	池上感化院	非行・犯罪少年
赤沢鍾美（あつとみ）	新潟静修学校付設託児所	保育の必要な幼児
野口幽香（ゆか）、森島峰（みね）	二葉幼稚園	保育の必要な幼児

社会的養護

No.3 **「児童養護施設入所児童等調査の概要（令和5年2月1日現在）」の里親に関する次の記述のうち、最も妥当なのはどれか。**

1　里親申し込みの動機理由として、最も多いのは「子どもを育てたい」からである。

2　里親に委託された児童の被虐待経験は、「虐待経験あり」が7割を超えている。

3　里親に委託されている児童の今後の見通しは、「保護者のもとへ復帰」するが最も多い。

4　里親に委託された児童のうち、およそ8割の児童には保護者がいない。

5　里父と里母の年齢は、共に50代が最も多い。

解説

1×　「児童福祉への理解から」が49.7%で最も多く、次いで「子どもを育てたいから」が26.1%、「養子を得たいため」が11.7%となっている。

2×　里親へ委託される以前の里子の被虐待経験は、「虐待経験なし」が49.5%、「虐待経験あり」が46.0%で、そのうち最も多い虐待の種類は、「ネグレクト」で65.0%となっている。

3×　里親に委託されている児童の多くが、「自立まで現在のままで養育（67.4%）」される予定である。

4×　里親へ委託される際の保護者の状況は、「両親又は父母のどちらかあり」の割合が86.1%であり、多くの児童には保護者がいる。

5○　里父の年代別割合は、50代が29.3%、次いで60代以上が28.8%、40代が22.2%。里母の年代別割合は、50代が36.0%、次いで40代が27.9%、60代以上が27.7%となっている。

（答　5）

No.4 子どもの権利に関する次の記述のうち、最も妥当なのはどれか。

1 子どもの基本的人権について具体的に明示した「児童憲章」は、1947（昭和22）年5月5日に制定された。

2 1989（平成元）年の国際連合総会において「児童の権利に関する条約」が採択され、日本は1994（平成6）年に批准した。

3 「国際児童年」において、初めて、人類は子どもに最善のものを与える義務を負うことが明記された。

4 「児童権利宣言」では、子どもの能動的権利を基礎に置いている。

5 「児童の権利に関する条約」第12条「意見表明権」は、児童の年齢や発達に関係なく、すべての子どもに与えられている権利である。

解説

1× 「児童憲章」は、1951（昭和26）年5月5日に制定された。1947（昭和22）年に制定されたのは児童福祉法であり、児童憲章では児童福祉法よりも、さらに具体的に子どもの基本的人権について提示された。

2○ 記述のとおり。批准（ひじゅん）国は、子どもの最善の利益のために行動しなければならない。

3× 人類が子どもに対して最善のものを与える義務を説いたのは「児童の権利に関するジュネーブ宣言」（1924年）である。

4× 「児童権利宣言」（1959年）の基礎となっているのは、子どもの受動的権利を認めることである。能動的権利は「児童の権利に関する条約」（1989年）まで待たねばならない。

5× 条約のなかでは、「児童の意見は、その児童の年齢及び成熟度にしたがって相応に考慮される」（第12条第1項）ことが示されている。また、子どもの発言が制限されてはならないだけでなく、その意見がないがしろにされたりしてもならないということである。

（答 2）

No.5 里親に関する次の記述のうち、妥当でないのはどれか。

1　養育里親には、2年の有効期限がある。

2　里親の認定をするために、都道府県知事は、都道府県児童福祉審議会の意見を聴かなければならない。

3　里親が同時に養育する児童の人数は、6人を超えることができない。

4　里親に委託された児童は、2021（令和3）年には5,000人を超えている。

5　里親は外部の協力者を活用し、養育のありかたをできるだけ「ひらく」必要がある。

解説

1×　養育里親名簿の登録の有効期間は5年、専門里親は2年となっている。また、登録の更新には、都道府県知事が、厚生労働大臣が定める基準に従って実施する更新研修を受けなければならない。

2○　都道府県知事は、里親又は保護受託者の認定をするには、都道府県児童福祉審議会の意見を聴かなければならない（児童福祉法施行令第29条）。

3○　里親が同時に養育する委託児童は4人であり、委託児童以外の児童を含めても6人までになっている。

4○　2021（令和3）年度の里親委託児童数は6,080人であり、里親及びファミリーホームの委託率は23.5%となっている。2008（平成20）年の委託児童数は3,870人、委託率は10.5%であったことから、委託児童数は年々増加している。

5○　「里親及びファミリーホーム養育指針」には、社会的養護の養育は、家庭内の養育者が単独で担えるものではなく、家庭外の協力者なくして成立し得ないと記述されている。また、養育上の課題や問題解決、予防のためにも、協力者を活用し、養育のありかたをできるだけ「ひらく」必要があるとされている。

（答　1）

No. 6 **社会的養護に関わる相談援助の知識・技術に関する次の記述のうち、妥当でないのはどれか。**

1　児童の生活歴や成育歴、家族の状況などの情報を整理し、現状を評価する取り組みをアセスメントという。

2　経験の浅い保育士が、自身の支援方法や記録の書き方について、経験年数の長い保育士から、指導・助言を受けることをスーパービジョンという。

3　集団の力を活かして、児童らが持つ一人一人の力をさらに高める取り組みをケースワークという。

4　児童とその家族の支援を始める際の、初回面接をインテークという。

5　児童の持つ力に着目し、その力を発揮しやすくなるよう環境を調整することをエンパワメントという。

解説

1○　アセスメントとは、現状を評価するもので、そのための材料として対象児童やその家庭の情報を収集して全体像をとらえる取り組みのことを指す。

2○　スーパービジョンとは、経験の浅い支援者が、その専門の熟達者から指導・助言を受けることをいう。

3×　ケースワークとは、個人の生活に対する問題や課題に対してアプローチする支援のことを指す。児童やその家族、環境を調整して課題解決を目指す個別援助技術である。

4○　インテークとは、初回面接を指す。対象児童やその家庭との初めての面談場面において課題を発見することが目的の取り組みである。

5○　エンパワメントとは、児童らが主体的に活動することを目指した支援方法である。支援者が、児童やその家族一人一人の本来持っている力に注目し、その力を発揮できる環境を整え、活動を助ける取り組みである。

（答　3）

No. 7 「社会的養育の推進に向けて（令和６年２月）」（こども家庭庁）における「家庭と同様の環境における養育の推進」に関する次の記述のうち、最も妥当なのはどれか。

1　地域小規模児童養護施設（グループホーム）は、家庭と同様の養育環境である。

2　養子縁組（特別養子縁組を含む）は、良好な家庭的環境である。

3　小規模住居型児童養育事業（ファミリーホーム）は、家庭と同様の養育環境である。

4　小規模グループケア（分園型）は、家庭と同様の養育環境である。

5　里親は、良好な家庭的環境である。

解説

1×　地域小規模児童養護施設は、本体施設の支援の下で地域の民間住宅などを活用し、良好な家庭的環境で養護を行う施設である。

2×　戸籍上の親子となる養子縁組は、社会的養育において家庭と同様の養育環境とされている。

3○　小規模住居型児童養育事業は、家庭と同様の養育環境である、養育者の住居で養育を行う家庭養護である。

4×　小規模グループケアは、地域において、小規模なグループで、家庭的環境で養護を行う施設である。

5×　里親は、家庭と同様の養育環境である里親に、養育を委託する家庭養護である。

（答　3）

No. 8 社会的養護の専門職と業務内容に関する次の記述のうち、最も妥当なのはどれか。

1　保育士・児童指導員は、業務内容が明確に区分されている。

2　里親支援専門相談員は、所属する施設に在籍していた児童以外の児童の里親委託をする必要はない。

3　個別対応職員は、個別の対応が必要な児童への対応を専門とする。

4　心理療法担当職員は、心理療法を必要とする児童のみに対して、遊戯療法等の心理療法を実施する。

5　家庭支援専門相談員は、入所及び退所児童への相談援助を行うだけでなく、施設職員への指導・助言も行う。

解説

1×　施設によっては、保育士と児童指導員の業務内容を明確に区分している場合もあるが、現在の制度上、明確な区分はない。どちらの職員も、入所児の日常生活の支援業務を担っている。

2×　里親支援専門相談員が所属する施設に在籍していた児童以外の児童の里親等委託の推進も、業務に含まれる。所属施設に在籍していた児童以外の児童とは、一時保護中の児童や、里親支援専門相談員が配置されていない施設に在籍する児童などを指す。

3×　個別対応職員は、被虐待児等の個別の対応が必要な児童への1対1の対応、保護者への援助等を行う、虐待を受けた児童等への対応の充実を図ることを目的として配置された専門職である。

4×　心理療法担当職員の業務は、心理療法を必要とする母子に、遊戯療法、カウンセリング等の心理療法を実施することとなっている。特に、母子生活支援施設においては、夫等からの暴力等による心的外傷等の被害を受けた母親も、心理療法の対象者となっている。

5○　家庭支援専門相談員の業務は、主に、入所児童や退所児童への相談援助であるが、業務内容には、施設職員への指導・助言及びケース会議への出席も行うこととされている。

（答　5）

key word **児童福祉施設の職員**

「児童福祉施設の設備及び運営に関する基準」等に、施設ごとに配置すべき職種、数、資格が定められている。保育士は児童福祉施設の子どもにとって、最も身近な存在であり、配置されている職員数も多い。

No. 9 「児童養護施設運営指針」に関する記述のうち、妥当でないのはどれか。

1 「運営指針」とは、児童養護施設における養育・支援の内容と運営に関する指針を定めたものである。

2 児童養護施設が求められている機能は、「家庭代替」である。

3 ケアワークのさらなる充実にとどまらず、ソーシャルワーク機能の充実も求められている。

4 スーパービジョン体制を確立し、一人一人の援助技術の向上に努める。

5 自立支援計画の評価・見直しは、少なくとも半年ごとに行う。

解説

1○　記述のとおり。それだけにとどまらず、運営指針は、施設における運営の理念や方法、手順など、説明責任を果たすことにもつながるものである。

2×　これまでの社会的養護は、「家庭代替」の機能を担ってきたが、これからは、家族機能の向上に向けた家庭支援への転換が求められている。

3○　これからの児童養護施設は、社会的養護の地域の拠点として、総合的なソーシャルワーク機能の充実が求められている。また、ソーシャルワークとケアワークを適切に組み合わせた支援も求められている。

4○　職員が一人で問題を抱え込まないようにするため、施設全体の養育・支援の質の向上のため、スーパービジョンの体制を組織として確立していくことが求められている。

5○　自立支援計画は、施設職員や関係機関、児童や保護者が情報を共有し、連携して計画的に支援を行っていくために作られるものである。職員会議などで定期的に評価し支援内容や方法を見直すことが求められている。

（答　2）

No. 10 「児童福祉施設の設備及び運営に関する基準」に関する次の記述のうち、最も妥当なのはどれか。

1　乳児院における看護師の数は、2 歳未満の幼児おおむね 1.6 人につき 1 人以上とする。

2　児童養護施設における児童指導員及び保育士の数は、就学前の幼児おおむね 4 人につき 1 人以上、就学児童おおむね 5.5 人につき 1 人以上とする。

3　児童心理治療施設における児童指導員及び保育士の数は、おおむね児童 4 人につき 1 人以上とする。

4　福祉型児童発達支援センターにおける児童指導員、保育士及び機能訓練担当職員の総数は、おおむね児童の数を 5 で除して得た数以上とする。

5　児童自立支援施設における職員のうち、児童自立支援専門員及び児童生活支援員の総数は、おおむね児童 5 人につき 1 人以上とする。

解説

1○　乳児院における看護師の配置は義務であるが、保育士の配置は義務ではない。しかし、看護師を保育士又は児童指導員に代えることが認められている。

2×　児童養護施設における職員数は、0・1 歳の乳児及び幼児おおむね 1.6 人につき 1 人、2 歳の幼児おおむね 2 人につき 1 人、3 歳以上の幼児おおむね 4 人につき 1 人以上とされている。小学生以上の児童については、記述のとおり。

3×　児童心理治療施設における職員数は、おおむね児童 4.5 人につき 1 人以上とされている。

4×　福祉型児童発達支援センターの職員数は、おおむね児童の数を 4 で除して得た数以上とされている。

5×　児童自立支援施設における職員のうち、児童自立支援専門員及び児童生活支援員の総数は、おおむね児童 4.5 人につき 1 人以上とする。

（答　1）

No. 11 **「被措置児童等虐待対応ガイドライン」に示されている虐待予防のための取り組みに関する記述のうち、妥当でないのはどれか。**

1　被措置児童等の支援は、複数の体制で行うことが望ましい。

2　都道府県の監査では、被措置児童等虐待や権利侵害が発生していないかも確認する。

3　職員のケア技術向上のための研修を施設内で実施する。

4　里親家庭やファミリーホームで生活する児童は、本ガイドラインの対象児童ではない。

5　自立支援計画の策定や見直しは、子どもの意見を聴き取り反映させる。

解説

1○　支援は必ずチームを組み、担当職員が一人で抱え込むことがないような環境を整える。

2○　都道府県の監査においては、会計等の監査以外にも、ケア内容に関して監査を実施することで被措置児童への虐待予防となる。

3○　施設内に留まらず、都道府県や地域単位で関係者が集まり、研修会等をとおして関係者全体の虐待予防に関する認識の共有化やノウハウの蓄積が期待されている。

4×　里親家庭等に委託されている児童も措置児童であり、里親家庭等は施設以上に養育者の抱え込みに直面しやすいため、日常的な相談機関との連携が必要である。

5○　子ども自身が、自らへの対応について訴えたり、外部に伝えても良いことを説明しておくことが大切である。

（答　4）

No. 12 母子生活支援施設に関する次の記述のうち、最も妥当なのはどれか。

1 母子・父子自立支援員は、施設に入所している親子の自立支援を行っている。

2 入所している母子の退所の判断は、児童相談所が行う。

3 生活が困窮している母子の自立支援や親子関係の再構築を目的に設置されている施設であることから、配偶者からの暴力を理由とした入所は認められていない。

4 入所している児童に対して、職員は保育の提供や、放課後活動の提供は行わない。

5 施設における支援は、それぞれの親子や家庭のあり方を重視して行われる。

解説

1× 母子の生活支援を行っているのは、母子支援員である。母子・父子自立支援員は、福祉事務所等において自立支援の相談にあたる専門職である。

2× 母子が抱える課題が解決でき、地域での生活が安定して送ることができる見込みができた時点で退所を検討するが、母子、福祉事務所、施設の三者で課題の解決状況について確認したうえで決定する。

3× 配偶者からの暴力の防止及び被害者の保護に関する法律（ＤＶ防止法）第３条第４項に定める被害者を一時保護する委託施設としての役割もある。

4× 必要に応じて保育所や学童保育の機能を平日、休日、早朝や夜間にかかわらず施設が代わって提供することや、母親の状況に応じて、保育所等への送迎や通院の付き添いも支援の一つとして提供している。

5○ 入所型施設の特性を生かしながら、日常の生活支援と課題解決支援を組み合わせて総合的に行われているが、あくまでも生活の主体は母子であり、その意思や意向を尊重した支援であることが大切にされている。

（答 5）

No. 13 **「社会的養育の推進に向けて（令和６年２月）」（こども家庭庁）のなかで、小規模住居型児童養育事業（ファミリーホーム）に関する次の記述のうち、最も妥当なのはどれか。**

1　養育者は、原則、里親登録をしている者でなければならない。

2　子どもの定員は、４人までである。

3　専門の研修体制が構築されており、養育者の専門性の向上や支援の充実が図られている。

4　家庭養護の一つの形として、里親を大きくしたものであり、施設を小さくしたものではない。

5　2022（令和４）年度末における小規模住居型児童養育事業（ファミリーホーム）の設置数は、約700か所であり、委託児童数は、約3,500人である。

解説

1 ×　養育者は、原則、夫婦であることが望まれるが、家庭養護の促進のため、里親でなくても、児童養護施設等の職員が独立して開設することができるようになっている。

2 ×　子どもの定員は、５～６人であり、養育者と補助者を含めて３人以上で養育が行われる。

3 ×　里親支援と同様の支援体制の中で支援を推進していく方向である。里親支援機関や児童家庭支援センターの里親支援にファミリーホームを加え、ファミリーホームの養育者及び補助者に里親研修を受講するよう努めることが実施要項にも規定されている。

4 ○　記述のとおり。施設を小さくしたものではなく、里親を大きくしたものである。

5 ×　2022（令和４）年度末時点で446か所が設置されており、委託児童数は、1,718人である。

（答　4）

No. 14 子どもの自己形成と生い立ちの整理に関する次の記述のうち、最も妥当なのはどれか。

1 思春期の子どもや「生い立ちについての授業」などで生い立ちを意識する機会が就学後に増えることから、子どもが通う教育機関との連携は重要である。

2 真実告知は職員や里親が行い、児童相談所と相談する必要はない。

3 真実告知の内容は子どもに配慮して、時には情報を隠したり、嘘を交えたりしながら伝える。

4 子どもの生い立ちの整理は口頭で行うとよい。

5 子どもが自分を形成していくことと、自己の生い立ちを知ることに関係はない。

解説

1○ 児童相談所やこれまでの経験者などからのアドバイス等を参考にして、学校関係者とも必要な理解や配慮の共有に努めながら具体的に対処方法を考え取り組むことが大切である。

2× 職員や里親等は、真実告知のタイミングを児童相談所や支援機関と相談の上、行うことが望ましい。

3× 真実告知は嘘の無い真実として子どもに伝えることが大切であり、その真実をどのように表現するかについて特に配慮しなければならない。

4× 子どもが生い立ちを実感できるよう口頭だけでなく、写真や数値、できるようになったこと、関わってくれた人や物などとともに、記録としてまとめることが望ましい。

5× 自己形成に自分の生い立ちを知ることは必要不可欠である。子どもの発達や状況に応じて情報を伝え、子どもがどう受け止めているかを確かめつつ、少しずつ内容を深めていくことが大切である。

（答 1）

No. 15 「新しい社会的養育ビジョン」（厚生労働省）に示された次の記述のうち、妥当でないのはどれか。

1　特別養子縁組の成立数を、おおむね５年以内に、年間1,000人以上を目指している。

2　家庭養育原則を実現するため、特に就学前の子どもにおいては、原則として施設への新規措置入所を停止する。

3　３歳未満児については、おおむね７年以内に里親委託率75％以上の実現を目指している。

4　施設での滞在期間は、原則として乳幼児は数か月以内、学童期以降は１年以内としている。

5　乳幼児の頃からの十分なケアの実現を目指しているため、乳児院に求められる役割が大きくなっている。

解説

1○　永続的解決（パーマネンシー保障）として、特別養子縁組を推進しており、現状の約２倍の数である年間1,000人以上の特別養子縁組成立を目指し、今後も増加を図っていくとされている。

2○　里親委託充実のために、里親の募集に始まり、子どもの委託から措置解除に至るまでの一連の過程を組織的に行える機関事業（フォスタリング機関）の、全国整備を進めている。

3×　愛着形成に最も重要な時期である３歳未満の子どもについてはおおむね５年以内に、それ以外の就学前の子どもについてはおおむね７年以内に里親委託率75%以上を実現し、学童期以降の子どもはおおむね10年以内を目途に里親委託率50%以上を実現するとしている。

4○　記述のとおり。特別なケアが必要な学童期以降の子どもであっても３年以内を原則としている。

5○　乳児院は、これまで培ってきた専門的な対応能力を基盤に多機能化・機能転換をすることが求められており、今後の社会的養護における重要な役割を担うとされている。

（答　3）

No. 16 「都道府県社会的養育推進計画の策定について」（厚生労働省）に示された次の記述のうち、妥当でないのはどれか。

1　全ての中核市及び特別区に児童相談所が設置されるよう、各都道府県で具体的な計画を策定すること。

2　子どもを一時的に保護する場合、その必要性を2週間以内に定期的に検討すること。

3　年長児で家庭養育に対する拒否感が強い子どもにおいても、「できる限り良好な家庭的環境」で養育すること。

4　都道府県の中央児童相談所等に弁護士配置を進めること。

5　在宅で生活している子どもや家庭への支援については、子どもの権利やニーズを優先して支援方法を検討すること。

解説

1○　2016（平成28）年の児童福祉法改正により、全ての中核市及び特別区に児童相談所の設置が促されている。そのため、各都道府県では、それに関わる具体的な計画を策定することが求められている。

2○　子どもの自由な外出を制限する環境で保護する日数は、必要最小限とする。ただし、保護の継続が必要な場合は、子どもや保護者等の状況に応じて、その必要性を2週間以内など定期的に検討することとされている。

3○　「できる限り良好な家庭的環境」、すなわち小規模かつ地域分散化された施設である地域小規模児童養護施設や分園型小規模グループケアで養育されるよう、必要な措置を講ずることとされている。

4○　2016（平成28）年の児童福祉法改正により、法律に位置づけられた児童福祉司の指導・教育を行うスーパーバイザー、児童心理司、医師又は保健師、弁護士の配置が求められている。

5×　子どもの権利、ニーズを優先するが、家庭のニーズも考慮して全ての子どもと家庭を支援するための体制構築と支援メニューの充実を図ることが求められている。

（答　5）

No. 17 「児童養護施設運営指針」に示されている「養育のあり方の基本」に関する記述のうち、妥当でないのはどれか。

1　児童養護施設は、退所した者も支援の対象である。

2　養育の基本目的は、子どもが「生まれてきてよかった」と、自信を持てるようになることである。

3　養育者は、子どもたちに寄り添い、時間をかけ、心ひらくまで待つこと、かかわっていくことを大切にする。

4　養育は、日常生活の中にある特別な養育を追求する姿勢が求められる。

5　親子間の関係調整、回復支援の過程は、施設と親とが協働して行う。

解説

1○　児童養護施設は、退所者に対する相談や自立のために必要な援助を行うことも施設の目的の一つになっている。

2○　子どもが意識的・無意識的に自分の存在に自信を持てるようになるには、安心して自分を委ねられる大人の存在が重要となる。

3○　養育者は分からなさを大切にし、見つめ、かかわり、考え、思いやり、調べ、研究していくことで子どもへの理解を深めていくようにする。

4×　養育には、子どもの生活をトータルにとらえ、日常生活に根差した平凡な養育のいとなみの質を追求する姿勢が求められる。

5○　現在の社会的養護は、単なる家庭代替から、家族機能の支援、補完、再生を重層的に果たす家庭支援が求められている。

（答　4）

No. 18 児童福祉施設の設備や運営に関する次の記述のうち、最も妥当なのはどれか。

1　福祉型障害児入所施設への入所は、原則としてすべて措置によるものである。

2　厚生労働大臣は、最低基準を常に向上させるように努めるものとする。

3　都道府県知事は、運営適正化委員会の意見を聞き、児童福祉施設に対し、最低基準を超えて、その設備及び運営を向上させるように勧告することができる。

4　児童福祉施設は、児童の保護者及び地域社会に対し、施設の運営の内容を適切に説明するよう努めなければならない。

5　現在、児童養護施設では第三者評価を5年に1回受審することが義務づけられている。

解説

1×　社会的養護の施設は、原則、「措置」による入所であるが、障害児入所施設の場合は、「措置」と「利用・契約」に基づいて利用することができる。

2×　最低基準の向上に努めなければならないのは、都道府県知事である。厚生労働大臣が向上に努めなければならないのは、設備運営基準である。

3×　問題文の内容は、都道府県児童福祉審議会に関する内容である。運営適正化委員会は、福祉サービスに関する苦情への相談に応じ、必要な助言をし、苦情に係る事情を調査する機関である。

4○　記述のとおり。日々行われている事柄について、説明責任を果たすことが求められている。

5×　乳児院、児童養護施設、児童心理治療施設、児童自立支援施設、母子生活支援施設などの社会的養護関係施設では、2012（平成24）年度から3年に1回の第三者評価の受審が義務づけられている。

（答　4）

おさえよう！

保育の心理学の厳選ポイント

ここだけおさえる

保育の心理学に関わる歴史的人物

人物名	キーワード
ボウルビィ（J. Bowlby）	愛着理論、児童精神医学、母性的養育の剝奪
エインズワース（M. D. S. Ainsworth）	ストレンジ・シチュエーション法、愛着研究
ピアジェ（J. Piaget）	認知的発達段階、自己中心性、同化、調節、均衡化
ヴィゴツキー（L. S. Vygotsky）	発達の最近接領域、内言・外言
エリクソン（E. H. Erikson）	ライフサイクル、心理社会的危機
ハヴィガースト（R.J. Havighurst）	発達の順序性・不可逆性、発達課題
ギブソン（J. J. Gibson）	アフォーダンス、肌理（きめ）の勾配、不変項
ゲゼル（A. L. Gesell）	レディネス、発達規定要因の遺伝説（成熟優位説）
スキナー（B. F. Skinner）	オペラント条件づけ
ブロンフェンブレンナー（U. Bronfenbrenner）	入れ子、生態学的システム（マイクロシステム、メゾシステム、エクソシステム、マクロシステム）
パーテン（M. B. Parten）	遊びの分類（平行遊び、連合遊び、協同遊びなど）
ポルトマン（A. Portmann）	生理的早産、二次的就巣性
ローレンツ（K. Z. Lorenz）	刷り込み（インプリンティング）、比較行動学
ガードナー（H. Gardner）	多重知能
トマス＆チェス（A. Thomas & S. Chess）	乳児の気質の分類（扱いやすい子、扱いにくい子、平均的な子、順応が遅い子）
パブロフ（I. P. Pavlov）	古典的条件づけ

発達理論

エリクソンの 8 つの発達段階

段階			
【1】乳児期	基本的信頼	vs	不信
【2】幼児期前期	自律性	vs	恥、疑惑
【3】幼児期後期	自主性	vs	罪悪感
【4】学童期	勤勉性	vs	劣等感
【5】思春期・青年期	同一性（アイデンティティ）	vs	同一性（アイデンティティ）の拡散
【6】成人期前期	親密性	vs	孤立
【7】成人期	生殖性（世代性）	vs	停滞
【8】老年期	自己統合（統合性）	vs	絶望、嫌悪

ピアジェの発達論：同化と調節を繰り返す均衡化によってシェマが高度になる。

段階	内容
感覚運動期 （0 ～ 2 歳頃）	身体を使って感覚と運動を協応させ、それを通して外界を理解する。「対象の永続性」の概念が形成される
前操作期 （2 ～ 7、8 歳頃）	表象を利用して外界を理解し始めるが、他者の視点に立てず自己中心的。「保存」の概念が未成立で物事の全体像の理解が不十分である
具体的操作期 （7、8 ～ 11、12 歳頃）	前操作期で獲得した認知機能に加え、順序性や分類化、対応づけに必要な機能を獲得し、具体的なものに対する論理的思考ができてくる
形式的操作期 （11、12 ～ 14、15 歳頃）	具体的操作期までに獲得してきた認知機能に加え、より抽象的な記号を用いて思考する機能を獲得する

パーテンによる遊びの分類

1）ひとり遊び：他の子どもがいても無関係に自分の遊びに没頭する
2）傍観的行動：他の子どもの遊びを眺めている状態。何か話しかけたりはするが、遊び自体には加わらない状態
3）平行遊び：他の子どものそばで遊び、一見他の子どもと一緒に遊んでいるようだが、互いにそれぞれの遊びを行っている状態
4）連合遊び：他の子どもと一緒に遊び、会話やおもちゃの貸し借りがあるが、役割分担がない
5）協同遊び：共通の目的を持って協力し、集団を組織して遊ぶ。ルールを共有し、リーダー等の役割分担がうまれる

保育の心理学

/22　/22

No.1 **子どものアタッチメント（愛着）に関する次の記述のうち、最も妥当なのはどれか。**

1　アタッチメントとはエインズワースが定式化した概念で、乳児が養育者への積極的な接近を通して築く情緒的な結びつきである。

2　子どもが持つアタッチメントの対象についてのイメージは内的ワーキングモデルと呼ばれ、その後の人間関係に影響する。

3　生後３～４か月になると人見知りが始まり、母親以外の人があやしても泣きやまないことがある。

4　乳幼児期のアタッチメントを十分に形成するため、母親は子どもが３歳になるまで育児に専念する方がよい。

5　ストレンジ・シチュエーション法による実験観察から、乳児のアタッチメントは「連続型」「離散型」「接近型」に分類される。

解説

1×　アタッチメントはボウルビィが定式化した概念である。エインズワースは、アタッチメントの質を測定する実験方法であるストレンジ・シチュエーション法を開発した研究者である。

2○　乳幼児期に形成された愛着は内的ワーキングモデルとして内化され、その後も他者との新たな関係形成に影響するとされている。

3×　人見知りは、生後６～７か月から始まる。

4×　現代では、子どもが３歳になるまで母親が自宅で養育する方がよいという考え、いわゆる「三歳児神話」については否定的な議論がなされている。

5×　エインズワースが開発したストレンジ・シチュエーション法による実験観察から、1歳代の乳児のアタッチメントは「安定型」「回避型」「アンビバレント型」に分類されてきた。その後の研究により「無秩序・無方向型」が加わり、現在は４つに分類されることが多い。

（答　2）

No. 2 エリクソンの発達段階理論における説明として、不適切なものを一つ選びなさい。

1 幼児期後期の子どもは、主体的な活動を試みるが、この試みが許容されない経験が続くと自分自身に罪悪感を抱きやすくなる。

2 乳児期には、子どもの欲求が母親によって満たされているかどうかが、その後の信頼関係に大きな影響を与える。

3 幼児期前期の課題である自律性の獲得には、子どもの意思という内的要因と両親のしつけといった外的要因のバランスが重要になる。

4 学童期の課題は、自分の所属するコミュニティにおいて、他者との積極的な関わりを持つことができるかどうかが重要になる。

5 青年期には、アイデンティティの確立が発達課題となる。この時期にアイデンティティが確立できない状態をアイデンティティ拡散という。

解説

1○ 養育者等によって、子どもの活動に必要以上の制限が加わる場合には、子どもの自信が損なわれ、依存的な態度が形成されやすくなる。

2○ この時期に母子関係での基本的信頼の形成ができるかどうかは、今後の愛着関係の確立に大きな影響を与える。

3○ 内的要因と外的要因のバランスがどちらかに偏った場合、子どもが自己中心的な態度をとったり、依存的な態度をとったりしやすくなる。

4× 他者との積極的な関わりは、成人前期の課題である。学童期は勤勉性の意識や好奇心により、積極的に学習を行うことができるかどうかが課題となる。

5○ アイデンティティ拡散の状態では、将来への希望が見出せなかったり、社会的に望ましくない役割を選択したりしやすい。

（答 4）

No. 3 **子どもの理解と援助、保育実践に関する次の記述のうち、最も妥当でないものはどれか。**

1 保育士は、乳幼児期の発達の特性、月齢や年齢による子どもの姿を詳細に理解していることから、目の前の子どもにあてはめて、発達の遅れや発達障害をいち早く特定することが望まれている。

2 ある一人の子どもを理解するときでも、クラス全体の傾向、子どもの仲間関係、保育士と子どもの関係性などを考えることが必要である。

3 津守式乳幼児精神発達診断検査は、検査者が個別に実施するだけでなく、養育者からの聞き取りでも記入することが可能である。

4 保育において、細大漏らさず客観的な子どもの行動記録を積み重ねるのみでは、個々の子どもの理解に近づくとは言いがたい。

5 日々の保育において、直接その子どもと関わった保育士の印象は大切であるが、後から保育を振り返ることや、他の保育士との意見交換も重要である。

解説

1× 保育士は、普段の子どもとの関わりの中で、発達の遅れや障害に気づきやすい存在ではあるが、一般的な発達の姿や目安にあてはめ、保育での様子のみで判断、特定することは望ましくない。

2○ 人の行為の原因を、個人の周囲の人間関係などの関係の網目の中から探り出そうとする見方を関係論的視点という。

3○ 津守式乳幼児精神発達診断検査は、乳幼児の発達段階を把握する検査法で、養育者の聞き取りで記入することもできる。

4○ 映像記録や逐語記録をとるだけのアプローチでは、子どもの心情理解に近づくとは言いがたい。

5○ 保育には絶対的な正解があるわけではない。援助の最中にとらえ切れなかった子どもの思いや出来事の意味を、保育士自ら振り返り、考察を深める省察や、保育士同士で意見交換をすることが重要である。

（答 1）

No. 4 乳幼児の特徴に関する記述のうち、不適切なものを一つ選びなさい。

1 ピアジェによると、0 歳から 2 歳頃の子どもには手を開いたり閉じたり、ガラガラを繰り返し振るといった循環反応がみられるという。

2 幼児は、壁の染みなどに人の表情を知覚することがある。

3 首のすわりからはいはい、歩行といった運動の発達は、尾部から頭部へ、身体の中心部から周辺部へと発達することが分かっている。

4 はいはいができるようになった乳児が、奥行きを判別できるのは 6 か月頃である。

5 乳児が自分にとって身近な大人を判別し、社会的微笑を行うのは 3 ～ 4 か月頃といわれている。

解説

1○ 同じ行動を繰り返す循環反応がみられる。内容の複雑さに応じて第一次から第三次まで分けられる。

2○ 相貌的知覚である。ウェルナーによって提唱された概念である。

3× 運動の発達は頭部から尾部へ、身体の中心部から周辺部へと方向性が決まっている。

4○ ギブソンの視覚的断崖の実験によると、乳児は 6 か月頃から奥行き知覚ができるようになるとされている。

5○ 生後 1 か月頃のまどろみのときに現れる自発的微笑から生後 3、4 か月になると他者に笑いかける社会的微笑に変化する。

（答 3）

check

●乳幼児の知覚と認知についての補足

・新生児模倣：大人が舌を出すと自分も舌を出すなど、大人の表情を模倣すること。

・視力の発達：新生児の視力は 0.01 ～ 0.03 程度とされる。生後数年かけて、成人並みになるといわれる。

・延滞模倣：以前見たことを後に思い出して模倣をすること。

No. 5 **子どもの発達を促す保育士の関わりについて、最も適切な記述を一つ選びなさい。**

1　２歳児がトマトのことを「ポマ」と言った直後、保育士が「ポマじゃなくてトマトだよ」と言い直す。

2　５歳児が鉄棒に失敗をした際、「惜しかったね、練習をすればできるようになるから大丈夫だよ」と、失敗の原因は努力不足だったと感じられるように保育士が声を掛ける。

3　４歳児が「できない」と着替えの援助を求めてくるときは、保育士はいつでも着替えの援助をする。

4　遊具の取り合いになった３歳児たちに「まず、じゃんけんをしよう」と保育士が声を掛ける。

5　４歳児クラスの子どもに、昆虫に詳しくなってほしいという願いのもと、虫図鑑に載っている昆虫を、保育士が毎日欠かさず、積極的に紹介する。

解説

1×　言い間違いは、年齢を重ねるとともに正確になっていく。２歳児の頃であれば、直そうと正確な単語を伝えることよりも、子どもが、話すことや大人に伝わることの喜びを感じられる経験となることを大切にしていく。

2○　原因帰属において、失敗の原因を能力不足と子どもがとらえると、練習を重ねても無駄だと意欲をなくすこともある。失敗の原因は努力不足だと保育士が声を掛ければ、今後も練習しようと思えるため、意欲が損なわれない。

3×　「できない」と着替えの援助を求める際、言動の背景にある子どもの気持ちを意識する。甘えたい気持ちからの行動ということもある。また、保育士が全て援助することは、子どもにとって最善の関わりにはならない。できるところは子どもが自分で行い、難しいところは保育士に援助されながら「できた」という経験を積むことや、背中を押してもらうことが大切である。

4×　遊具の取り合いの解決に、最初からじゃんけんを取り入れると、子どもの気持ちを受け止める機会や、子ども同士がお互いの思いの違いに気付く経験を削ぐことになる。いざこざの解決を急ぐより、それぞれの子どもの思いを聞き、受け止め、子ども同士をつなぐような関わりを、保育士は心がける。

5 ×　保育士自身の願いを子どもに押し付けていないかどうか、自身の姿勢を常に見直すことが大切である。子どもの実態をとらえずに教え込むような関わりは避け、子どもの主体的な興味関心を、保育士がさらに広げられるように意識する。

（答　2）

No.6 **児童期以降の発達に関する次の記述のうち、最も妥当でないのはどれか。**

1　児童期後半にみられるギャング・グループは、閉鎖的な小集団で、特定の表現やルールを用いることで一体感を持つ。

2　青年が親から精神的に自立することを「心理的離乳」という。

3　青年期に同一性（アイデンティティ）を獲得すれば、その後も人格は安定している。

4　成人期の発達課題である「生殖性」とは、自分の子どもを育てることに限らず、教育現場や職場において人を育てることや、絵や文章など自分の作品を作ることも含まれる。

5　通常、老年期には流動性知能が次第に低下し、結晶性知能はほとんど低下しない。

解説

1 ○　こうした仲間関係を通して、対人関係や社会的スキルを発達させていくことができる。

2 ○　心理的離乳に伴い、周囲の大人や権威に対して反抗的、拒否的となるこの時期を第二反抗期という。

3 ×　中年期特有の心理的な危機を中年期危機という。それに伴い同一性（アイデンティティ）も再体制化されると考えられている。

4 ○　広い意味で次世代に残すものを生産し、育み、継承していくことを指す。

5 ○　流動性知能は数や図形、推理といった新しい場面への適応や解決に必要な能力である。結晶性知能は言語や一般的知識といった過去の経験や学習の積み重ねによって得られた能力である。

（答　3）

No. 7 **DSM-5-TR における神経発達症群に関する次の記述のうち、最も妥当なのはどれか。**

1　神経発達症群は、知的発達症群、コミュニケーション症群、注意欠如多動症、限局性学習症、運動症群、他の神経発達症群の 6 つに分類されている。
2　注意欠如多動症の症状は 12 歳になる前に現れる。
3　自閉スペクトラム症は、DSM- Ⅳにおける自閉性障害、アスペルガー障害、小児期崩壊性障害、特定不能の広汎性発達障害、レット障害を包括した概念である。
4　知的発達症（知的能力障害）の重症度は、知能指数によって決められている。
5　反応性アタッチメント症も神経発達症のカテゴリーに含まれている。

解説

DSM はアメリカ精神医学会が作成した「精神疾患の診断・統計マニュアル（Diagnostic and Statistical Manual of Mental Disorders）」の略称である。客観的に観察可能な症状から患者の精神医学的問題を診断する際の指針として使われている。

1 ×　自閉スペクトラム症が含まれる。DSM-5 への改訂にあたり、広汎性発達障害（自閉性障害、アスペルガー障害など）は自閉スペクトラム症に変更された。
2 ○　DSM- Ⅳでは症状発現年齢は 7 歳未満とされていたが、DSM-5 で「12 歳になる前から」に変更された。
3 ×　レット障害（レット症候群）は女児のみが発症する障害である。原因は染色体異常であることが判明したため、自閉スペクトラム症との関連はないとして除外されている。
4 ×　知的発達症（知的能力障害）は、知的障害と適応障害の両方が認められることと定義されている。DSM-5-TR では重症度の評価について、単に知能指数による分類ではなく、生活適応能力が重視されている。
5 ×　反応性アタッチメント症は心的外傷及びストレス因関連症群に含まれている。

（答　2）

No. 8 生涯発達に関する次の記述のうち、不適切なものを一つ選びなさい。

1 親の死や離別を経験した子どもは、その喪失体験の過程で否認や怒りなどの感情の経過をとり、喪失の事実を受け入れるまでには時間がかかる。

2 高齢期には、より良く年を重ねていくこと、加齢への向き合い方が重要になる。

3 成熟前傾現象とは、第二次性徴の発現が低年齢化する現象のことである。

4 青年期にアイデンティティ（自我同一性）が確立された後は、生涯、再構築されることはない。

5 10代半ばに好発する摂食障害の発症は、男性よりも女性の方が多い。

解説

1○ 喪失体験を受け入れるまでに、否認→怒り→取引→抑うつ→受容という過程を通る。この心理的な段階を行ったり来たりしながら、時間をかけて喪失の事実を受容していくことになる。

2○ サクセスフル・エイジングと呼ばれる概念があり、明確な定義はないが、老化などの衰えがあっても、加齢に向き合い、より良く生きることが高齢期には大切とされる。

3○ 性的成熟に達する年齢が早期化する現象を、成熟前傾現象と呼ぶ。

4× アイデンティティは、青年期以降も、様々なライフ・イベントを経験する中で幾度も再構築される。例えば中年期以降に、子どもの自立や自身の退職を経験することで、アイデンティティは再構築される。

5○ 摂食障害の発症は、ボディイメージを意識する10代半ばの女性に多く見られる。女性の方が男性の約10倍かかりやすいと言われる。

（答 4）

No.9 乳幼児期の言語発達に関する次の記述のうち、最も妥当でないのはどれか。

1　生後２～３か月頃には、クーイングと呼ばれる柔らかな発声をする。

2　生後６か月頃から、喃語が現れる。

3　１歳前後から「マンマ」「ブーブー」など意味を持った一語文を使用するようになる。

4　幼児が遊びの中で文字の書きまねをするなど、あたかも読み書き能力を有しているかのように行動することをストラテジーという。

5　保育士は、子どもをよく観察し、応答的な関わりをすることで、言葉を交わす喜びや楽しさを十分に味わえるようにすることが重要である。

解説

1○　クーイングは、「クークー」といった音声や、ゴロゴロと喉を鳴らすような音声で、泣き声とは別の心地よい状況下で出る発声。

2○　喃語(なんご)は乳児が自分の唇や舌などの構音器官をある程度自分でコントロールして発声するもので、始めは一音のものが多いが、次第に「バブバブ」「ダダダダ」など発音が明瞭で複雑なものへと変化する。

3○　喃語を経て1歳前後に初語が現れる。この時期の言葉は、例えば「マンマ」という単語1語でも、「食べ物がある」や「お腹すいた」など様々な意味を含み、一つの文章のように機能していることから「一語文」と呼ばれる。

4×　プレリテラシーについての記述である。基本的な読み書き能力のことをリテラシーといい、リテラシー獲得前の幼児が遊びなどで行う読み書きに関連する行動をプレリテラシーという。

5○　保育士等との応答による心地よさや嬉しさといった心情が言葉を獲得する上での基盤となるとされている。

（答　4）

No. 10 環境の変化や移行に関する記述のうち、不適切なものを一つ選びなさい。

1 幼児退行は、妹や弟が生まれるなどの家族構成の変化により生じやすい。

2 小学校への滑らかな接続を意識した年長児後半の指導計画をスタートカリキュラムと呼ぶ。

3 保育所で育まれた子どもの資質や能力が活かされ、就学先の小学校教育が円滑に行われるよう、保育所と小学校で連携を図ることが重要である。

4 小学校に送付する保育所児童保育要録には、その子どもの、園での総合的な育ちを記載する。

5 自然災害が起きた時には、発生直後だけでなく継続的に子どもの様子を気に掛ける必要がある。

解説

1○ 妹や弟の出生といった家族構成の変化により、それまで独り占めできていた親の関心が、妹や弟の方に向けられてしまったと子どもが感じ、既に自分一人で食べられるようになっているのに、食べられないと甘えた姿を見せることがある。このような現象を、幼児退行（赤ちゃん返り）と呼ぶ。

2× 正しくは、アプローチカリキュラムである。小学校での学びの先取りではなく、小学生になることへの期待や意欲が高まることを意識する。スタートカリキュラムは、小学１年生入学当初の指導計画をさす。

3○ 地域の小学校と保育所で、互いに保育参観や研究会などの交流を行っている。また、子ども同士の「互恵性」や活動のねらいを意識しつつ、小学校でのお店屋さんごっこに保育所の園児を招待するなどの交流活動も行っている。

4○ 在園時のその子どもの保育過程と育ちを要録に記入する。「幼児期の終わりまでに育ってほしい姿」を意識するが、到達すべき目標ではないため、全体的かつ総合的に捉えて記入する。

5○ 例えば、東日本大震災の後、中高校生などの年齢の高い子どもより、幼児などの年齢の低い子どもや障害児の方が、睡眠の問題やフラッシュバックなどのPTSD（心的外傷後ストレス障害）と思われる症状が多く見られた。

（答 2）

No.11 **生活や遊びでの子どもの学びに関する次の記述のうち、最も妥当でないのはどれか。**

1　子どもの好奇心が発揮され、遊びこみ、発達や学びにつながるためには、保育士による受容、共感、応答が必要である。

2　観察学習は、学習者本人に強化が与えられるが、オペラント条件づけは代理強化である。

3　難しい課題を達成するために、小さな目標を順番に立て、易しいものから取り組むことで、子どもは達成感や満足感をこまめに得ながら、意欲的に取り組むことができる。

4　園での一日の生活や食事の時間などの、行為の流れをスクリプトと呼ぶ。

5　非認知能力とは、子ども自ら、興味関心や意欲を保ちながら、周囲との関わりの中で粘り強く物事に取り組む力のことである。

解説

1○　子どもは、健康で情緒が安定しているときは、元来、好奇心旺盛で、自ら面白いと思うことを遊びにする。子どもの遊びに寄り添い、受容、共感、応答する保育士の存在が欠かせない。

2×　オペラント条件づけは、学習者本人が何らかの行動をすると賞罰（保育現場では、ほめる、注意をする）が与えられる直接的な強化である。観察学習は代理強化で、直接経験せずに他者の行動を見て学習することで、保育現場でよく活用される。

3○　スモールステップが有効である。保育では、子どもが何かをできるようになるという結果だけを求めるのではなく、子どもの意欲、自己肯定感など、心の育ちを大切にする。

4○　スクリプトとは、ある場面での台本、筋書きという意味で、行為の流れを指す。

5○　非認知能力は、学びに向かう力や姿勢である。認知能力と非認知能力をバランスよく育むことが大切である。

（答　2）

No. 12 乳幼児の発達や心性、学びの特性に関する記述のうち、最も妥当でないのはどれか。

1　原始反射の多くが生後４～５か月頃から消失し始めるが、適切な時期に消失しない場合、中枢神経系に問題のある可能性がある。

2　生後３か月頃になると、自分の手を顔の前にかざして見つめるような動作が見られ、これをハンドリガードという。

3　子どもが主体的に環境に関わり、自身より湧き上がる興味関心に動機づけられていることを内発的動機づけという。

4　４歳頃になれば、自分の意思や感情を、仲間との関係の中で十分にコントロールすることが可能である。

5　うさぎのぬいぐるみを床に落としたときに「痛かったね」と言いながら頭をなでるような行動は、アニミズムと呼ばれる子どもの心性によるものである。

解説

1○　吸啜（きゅうてつ）反射や口唇探索反射、把握反射、モロー反射などが原始反射の代表例である。バビンスキー反射は、他の原始反射と比較し、消失時期が遅い。

2○　自分の身体の範囲があいまいな頃、ハンドリガードや指しゃぶりを通して、自身の身体を探索する行動が見られる。

3○　やってみたい、楽しい、興味深いという気持ちが、子どもの意欲、有能感、自信を育てる。一方、賞罰や報酬、評価などの刺激の影響に動機づけられていることを外発的動機づけと呼ぶ。

4×　自己制御には、自己主張と自己抑制の二側面がある。自己主張が３歳から４歳にかけて発達するのに対し、自己抑制は３歳から７歳にかけて緩やかに発達する。このバランスがうまく取れない時期に他児とのいざこざが多発する。

5○　アニミズムとは、無生物にも自分と同様に意思があると考えることで、ピアジェによる自己中心性の表れである。

（答　4）

No. 13 次の事例を読み、保育士の対応に関する次の記述のうち、最も妥当でないのはどれか。

【事例】
4歳の女児。他児へのちょっかいが目立つ。具体的には、園庭で遊ぶ際に他児が遊んでいるおもちゃを強引に奪ったり、給食の際に他児の分を奪ったりする。保育士の注意に耳を傾けるが、同様のちょっかいを繰り返すことが多い。保護者に伝えると、保護者は「ご迷惑をおかけしました」と愛想よく返事するが、その翌日に女児はおびえた素振りで登園する。保護者が降園すると多少元気になり、他児へのちょっかいが出てくる。また、昼寝の時間には保育士に甘えてくるようになった。近頃急激に成長し、洋服のサイズが合っていない。

1　保護者の虐待が疑われるので、直ちに管理職に報告・相談する。
2　ちょっかいを出された園児へのフォローとして、当該児をしっかり叱る。
3　保育士への注意引きとしてのちょっかいも考えられるため、先手を打って当該児に関わる。
4　保護者を取り巻く環境（勤務状況や精神状態等）が変化した可能性も考えられるため、他の職員と連携して保護者が話しやすい状況をつくる。
5　子どもや保護者の様子など、少しでも気にかかる点は記録しておく。

解説

1○　保護者の虐待が疑われる場合、必ず管理職に報告し、今後の対応について相談する。職員間で情報を共有し、園全体で対応を統一することが大切である。
2×　注意引きとして他児へのちょっかいを出している場合、叱ることが行動を助長することもある。また、ちょっかいを出された園児にフォローする場合、当該園児に見えない場所で行うことが望ましい。
3○　適切である。当該行動が注意引きの場合、その先手を打つことは行動を抑制することにつながることもある。
4○　適切である。保護者も大変ななかでの子育てであることを理解していることを表明することが、保護者の養育態度の向上につながる。
5○　保護者や子どもの変化に気づいた時点から、気にかかる点は記録を残しておくことが重要である。その際、日時も記入しておくとよい。

（答　2）

No. 14 心理査定（アセスメント）に関する記述のうち、最も妥当なのはどれか。

1　心理査定（アセスメント）は、人を理解し、援助するために必要な情報収集の方法のことで、心理検査のみを指すことが多い。

2　測定しようとする内容を確実に測定できているかどうかを、信頼性という。

3　あいまいな図を見せるなどしたときの個々の反応から、無意識の特徴を捉えようとする性格検査を投影法と呼ぶ。

4　半構造化面接とは、事前に決めておいた質問を、順番や言い回しまで統一して行う面接法である。

5　知能偏差値とは、精神年齢を考慮しながら、同じ年齢集団の中での相対的な位置を示すものである。

解説

1×　心理査定（アセスメント）は、狭義には心理検査のみを指すこともあるが、実際に子どもの心理査定を行うときには、心理検査に加え、面接や行動観察を含んで行うことが通常である。

2×　記述は妥当性に関する説明である。信頼性は、測定結果に安定性があり、一貫性があるかどうかのことである。

3○　バウムテストや人物画テストなどの描画法、文章完成法、ロールシャッハテストなどが投影法の代表例である。

4×　記述は、構造化面接の説明である。半構造化面接は、アセスメントの面接の多くで使用され、質問内容や順序を予め決めておくが、それ以外は対象者の反応に合わせて面接を行う方法である。

5×　知能偏差値は、精神年齢を考慮しない。

（答　3）

No. 15 **次の文は、「保育所保育指針」第1章「総則」4「幼児教育を行う施設として共有すべき事項」(2)「幼児期の終わりまでに育ってほしい姿」の一部である。この内容として妥当なのはどれか。**

身近な事象に積極的に関わる中で、物の性質や仕組みなどを感じ取ったり、気付いたりし、考えたり、予想したり、工夫したりするなど、多様な関わりを楽しむようになる。また、友達の様々な考えに触れる中で、自分と異なる考えがあることに気付き、自ら判断したり、考え直したりするなど、新しい考えを生み出す喜びを味わいながら、自分の考えをよりよいものにするようになる。

1 自己抑制
2 自立心
3 協同性
4 思考力の芽生え
5 自尊心

解説

1× 自己抑制とは、例えば、友達に遊具の順番を譲るなど、自分自身の感情や欲求などを、自ら収める方向にコントロールすることである。

2× 自立心は、「身近な環境に主体的に関わり様々な活動を楽しむ中で、しなければならないことを自覚し、自分の力で行うために考えたり、工夫したりしながら、諦めずにやり遂げることで達成感を味わい、自信をもって行動するようになる。」と「保育所保育指針」に記載されている。

3× 協同性は、「友達と関わる中で、互いの思いや考えなどを共有し、共通の目的の実現に向けて、考えたり、工夫したり、協力したりし、充実感をもってやり遂げるようになる。」と「保育所保育指針」にある。

4○ 子どもは、遊びや生活の中で、身近なものへの興味や好奇心を高める。また、友達の多様な意見に触れることで、思考力の芽生えが培われる。

5× 自尊心とは、自らを価値ある存在とする気持ちのことである。保育においては、十分に努力を重ねたといった過程を認めることが大切である。

(答 4)

No. 16 学習に関する次の記述のうち、最も妥当でないものはどれか。

1　ある学習がその後の別の学習に良い影響を及ぼすことを「正の学習の転移」という。

2　「きっとできる」と保育士が声を掛けると、期待の気持ちが子どもの学習に良い影響を与える。

3　新たな刺激―反応の結びつきの習得を「道具的条件付け」と呼ぶ。

4　自発的な子どもの行動にご褒美を与えることで、子どもの意欲が下がってしまうことがある。

5　泣いている友達を励ます子どもに「優しいね」と保育士が声を掛けると、その様子を見ていただけの別の子どもにも学習が成立する。

解説

1○　ある学習をすることが次の学習に良い影響を及ぼすことを「正の学習の転移」、妨げになるなどの悪い影響を及ぼすことを「負の学習の転移」と呼ぶ。

2○　保育士による期待の声掛けが、子どもの意欲を高め、自分を信じて自己発揮することにつながる。教師など大人の期待が子どもに良い影響を及ぼすことを「ピグマリオン効果」と呼ぶ。

3×　音刺激と唾液反応の新たな結びつきが生じたパブロフによる古典的条件付けがこの例である。

4○　内発的動機付けのように本人の自発的行動に報酬を与えることで、目的がご褒美となってしまい、結果的に子どもの意欲が下がることがあり、この現象を「アンダーマイニング効果」と呼ぶ。

5○　見るだけで成立する学習を「観察学習（モデリング）」と呼ぶ。

（答　3）

No. 17 子どもの遊びに関する次の記述のうち、最も妥当でないのはどれか。

1 パーテンの遊びの分類によると、他者と関わらずに自分の活動に専念する遊びを「ひとり遊び」という。1歳半から2歳に最も多く観察されることが報告されている。

2 パーテンの遊びの分類によると、同じ玩具や遊具で遊んでいるため一見すると一緒に遊んでいるように見えるが、実際にはやりとりのない状態の遊びを「平行遊び」という。

3 積み木を自動車に見立てるなど、ある物を別の物に見立てて遊ぶことを「象徴遊び」という。

4 見る、聞く、触る等の感覚刺激と自身の身体との関係で遊ぶことを「感覚運動遊び」という。

5 幼児期の遊びの発達過程について、ピアジェは認知発達の観点から、パーテンは社会的発達の観点からそれぞれ理論を展開した。

解説

1× 他者と関わらずに自分の活動に専念する遊びを「ひとり遊び」という。2歳半から3歳に最も多く観察されることがパーテンによって報告されている。ひとり遊びは発達的に幼い遊びというわけではない。パズルをする、絵本を読むなど、ひとりの方が集中できる遊びもある。

2○ パーテンによる遊びの分類では平行遊びは2歳から3歳に多く観察される。

3○ 象徴遊びは、おままごとで葉をお皿に見立てるなど、幼児期のごっこ遊びで盛んにみられる。

4○ 乳幼児は感覚や運動の遊びを通して、知覚や仲間関係など様々に発達させる。

5○ ピアジェは認知発達の観点から「機能遊び」「象徴遊び」「ルール遊び」に分類し、パーテンは社会的発達の観点から「ひとり遊び」「傍観的行動」「平行遊び」「連合遊び」「協同遊び」に分類した。

（答　1）

No. 18 記憶に関する次の記述のうち、最も妥当なのはどれか。

1　記憶の過程の中で、貯蔵された情報から探し出す過程を「保持」と呼ぶ。

2　長期記憶のうち、ピアノの弾き方のように言葉では説明しにくい記憶を「宣言的記憶」と呼ぶ。

3　6歳頃までは記憶の仕組みが整っていないため、乳児期の記憶に限らず、幼児期の記憶はほとんどの大人は思い出せない。

4　「作業記憶（ワーキングメモリー）」は、脳の前頭皮質という脳の部位が関連していると言われる。

5　サヴァン症候群は、記憶力にのみ高い能力を発揮し、芸術や計算での発揮の例は見られない。

解説

1×　貯蔵された情報から探し出すことは、検索と呼ばれる。保持は、貯蔵とも呼ばれ、覚えたものを維持する過程である。

2×　宣言的記憶は、長期記憶の中でも言葉で説明できるものである。自転車の乗り方などの言葉で説明しにくい記憶は、手続き記憶と呼ばれる。

3×　多くの大人は3歳以前の出来事を思い出すことが難しく、この現象を幼児期健忘と呼ぶ。原因は明確ではないが、脳の海馬とのつながりや、3歳以前では、言葉によって覚えたものを忘れないようにするといった記憶の仕組みが整っていないためではないかと言われている。3歳以降は、心を揺さぶられたことなどを言葉で繰り返し忘れないように記憶にとどめるよう、努力することができるようになるためなのか、大人になっても印象に残っている出来事の記憶がある。

4○　前頭皮質を損傷すると、大人も作業記憶を必要とする取り組みが困難になる。

5×　空から街を見下ろすような景色を一度見ただけで写真のように記憶して、細部までデッサンで表現したりするなど、芸術的な才能を発揮する例も多い。円周率のような無意味な数字の列を果てしなく暗記できたりする例や、難しい暗算、過去の年月を伝えるとその日が何曜日なのかを瞬時に答える例もある。

（答　4）

No.19 虐待が子どもにもたらす精神的問題について、最も妥当でないのはどれか。

1 心的外傷後ストレス症
2 多動傾向
3 解離
4 自閉スペクトラム症
5 反応性愛着障害（反応性アタッチメント症）

解説

1○ 心的外傷後ストレス症（PTSD）の主症状は、再体験、回避やまひ、過覚醒である。被虐待児の症状として多くみられる。

2○ 被虐待児に注意欠如多動症（ADHD）に似た症状がみられやすく、鑑別が難しい。

3○ 被虐待児に解離の症状が多くみられることから、虐待との関連が指摘されている。

4× 被虐待児が自閉スペクトラム症に似た症状を呈することがある。しかし、虐待によって自閉スペクトラム症になったかは定かとはいえず、もともと自閉スペクトラム症があり、虐待につながったと考えることもできる。

5○ 乳幼児期にかけて虐待やネグレクト等の不適切な養育を受けた場合、反応性愛着障害など愛着（アタッチメント）に関する問題を呈しやすい。

（答 4）

check

●ボウルビィ（J. Bowlby）による愛着の発達段階

段階	内容
第1段階（～生後3か月）	人の声を聞く、声を出すなどがあるが、特定の人に向けられてはいない。
第2段階（～生後6か月）	特定の人（特に母親）に向けての発信がみられ、母親の声かけで泣きやむ、声を出すといった行動が明らかになる。
第3段階（～2、3歳頃）	特定の人（特に母親）のそばにいようとする。探索的な行動も現れ、母親などの愛着対象を安全基地とする。後追いや分離不安が多く現れる。
第4段階（3歳以降）	視界の中に特定の人（特に母親）がいなくとも、離れて過ごすことが可能になる。内的ワーキングモデルが形成される。

No. 20 発達心理学に関する用語と、それに関わりの深い人物の組み合わせとして、最も妥当なのはどれか。

1 レディネス ―――― J. S. ブルーナー
2 知能検査 ―――― U. ブロンフェンブレンナー
3 自閉症 ―――― A. ビネー
4 発達の最近接領域 ―― L. S. ヴィゴツキー
5 輻輳説 ―――― J. B. ワトソン

解説

1× 発達のレディネス（準備性）はゲゼルによって提唱された概念である。

2× 知能検査はビネーが世界で初めて開発した。

3× 今日の自閉症概念の基礎となる概念を提唱したのはカナーである。

4○ 発達の最近接領域とは、他者との関係のなかで自分ができるという行為の水準ないしは領域のことである。自分一人でできる領域と、大人からヒントを与えられたり他者と一緒ならできる領域との差分が最近接領域となる。保育現場では、子どもそれぞれの発達過程をとらえ、個別の最近接領域に沿った援助が求められる。

5× ワトソンは、学習や経験によって行動が形成されるとし、環境説に立って主張した人物である。輻輳（ふくそう）説は、遺伝と環境が輻輳して発達に現れるとシュテルンによって唱えられた。

（答 4）

check

●その他「保育の心理学」と関わりの深い「人物」

人物	関連
フロイト（S. Freud）	防衛機制
レヴィン（K. Lewin）	葛藤
ジェンセン（Jensen, A.R.）	環境閾値説
バロン＝コーエン（S. Baron-Cohen）	心の理論
ブリッジス（K. M. B. Bridges）	感情の分化
ウィニコット（D. W. Winnicott）	移行対象

No. 21 気になる子どもへの関わりについての次の記述のうち、最も妥当なのはどれか。

1　他児と一緒の活動を行うことが困難な園児への対応として、全体の活動を多少遅らせてでも、当該児と1対1で関わるようにして根気強く指導する。

2　保育士としての経験上、その言動から、発達障害と思われる園児がいる。園内の検討会で相談した後、保護者の承諾を得る前に地域の療育センターへ対応に関して相談した。

3　興奮したときに他児に危害を加える園児への対応として、興奮しそうな兆候がみえたので、おだやかに声がけをして、落ち着かせた。

4　席に長時間座ることが困難な園児への対応として、倫理的配慮から当該児を椅子にくくり付けるのではなく、椅子と園児をロープでつないだ。

5　虐待を受けていると強く疑われる園児がいたが、保護者の承諾がないため、児童相談所へ通告することができなかった。

解説

1×　ひとりの子どもを優先して、クラス全体の活動を滞らせることは好ましくない。他の保育士に対応を願い出るなど、援助を受けられる場合は、場の状況を踏まえて任せることも重要である。

2×　園児への対応について他機関に相談する際は、管理職及び園内職員と相談し、その方針について保護者の承諾を得る必要がある。

3○　他児への危害を避ける意味で適切な対応といえる。また、どのようなときに危害を加えるか細やかに観察し、そうなる前に対応することも必要である。

4×　倫理的に配慮しきれていない。それを見た保護者がどう感じるか、また子ども自身がどう感じるかという点を考慮することが必要。長時間座っていられない園児への対応としては、座っている必要がある時間を短くするなど、環境の調整を行う。

5×　虐待通告は、守秘義務違反にあたらないこと、通告者が保護されることが児童虐待防止法に明記されている。

（答　3）

 多様な保護者の実態と保育士の援助に関する記述のうち、最も妥当なのはどれか。

1　保育所での保護者支援は、その保育所のみで独立して行うことが望ましい。

2　日本の文化や習慣に早く慣れるように、外国籍家庭への個別支援はあえて行わない。

3　親子関係の実態に子どもの気質の要因は一切なく、保護者側の関わりのみに要因がある。

4　ひとり親世帯では、母子世帯と父子世帯が各半数の割合である。

5　ひとり親の母子世帯の母の8割以上が就業しており、パートやアルバイトなどの就業状況がその約4割である。

解説

1×　保護者支援は、園独自のものではなく、地域との連携のもとで行うものである。

2×　外国籍家庭は、言語や文化の違いから孤独感を感じる可能性がある。個々の実態に合わせて丁寧に関わり、状況に応じて個別支援を行う。

3×　親子関係は、子どもか保護者のどちらか一方のみが要因とはならず、必ず親と子の双方の日々の関わり、すなわち相互作用が要因となる。

4×　内閣府の男女共同参画局の報告（令和3年）では、母子世帯が119.5万世帯に対し、父子世帯は14.9万世帯となっている。母子世帯の方が父子世帯よりもはるかに多い。

5○　厚生労働省の「令和3年度　全国ひとり親世帯等調査結果報告」では、母子世帯の母は8割以上が就業しており、そのうち約4割がパートやアルバイト等の就業状況である。

（答　5）

おさえよう！

子どもの保健の厳選ポイント

子どもの疾病と保育

（1）主な感染症

・かぜ症候群（急性上気道炎）：多種のウイルスによる咳、発熱、のどの痛みなど
・麻しん：麻しんウイルス感染による高熱、咳、鼻みず等、コプリック斑、全身の発疹
・水痘（水ぼうそう）：水痘・帯状疱疹ウイルス感染による発疹、発熱
・インフルエンザ：インフルエンザウイルス感染による急な高熱、全身のだるさ
・感染性胃腸炎：細菌またはウイルスなどの感染性病原体による嘔吐、下痢
・とびひ：黄色ブドウ球菌、溶連菌による皮膚感染症、水疱

※新型コロナウイルス感染症（COVID-19）：発熱、咳などの呼吸器症状（2023〔令和5〕年5月より5類感染症）

（2）アレルギー性疾患

・食物アレルギー：摂取した原因食物に免疫系が反応し、生体に不利益な症状を起こす
・アトピー性皮膚炎：アトピー素因（IgE抗体を産生しやすい素因）の下に起こる湿疹
・気管支喘息：多くは空気中のダニ、チリなどに対するアレルギー反応。喘鳴（ぜんめい）、呼吸困難

（3）予防接種

定期接種	BCG（結核）、MR（麻しん、風しん）、DPT-IPV-Hib（ジフテリア、破傷風、Hib、百日咳、ポリオ）、日本脳炎、肺炎球菌、ヒトパピローマウイルス感染症（子宮頸がん）、水痘（水ぼうそう）、B型肝炎、ロタウイルス
任意接種	おたふくかぜ、インフルエンザ（65歳以上は定期接種）など

※新型コロナウイルスは、予防接種法において生後6か月以上を対象としている。

乳幼児の標準的な運動・精神機能の発達

	運動発達	精神発達（視聴覚、言語、社会性）
3～4か月	首がすわる	180度追視
6～8か月	寝返り、おすわり	「いないいないばあ」を喜ぶ
9～11か月	はいはい、つかまり立ち	人見知り
12～14か月	ひとり歩き	「ママ」「パパ」など一語文を話す
2歳	両足跳び	「ママ、だっこ」など二語文を話す
3歳	三輪車を動かす、円を描く	「ボク」「ワタシ」を使う、質問する

発育・発達評価と検査

カウプ指数
・体重（g）÷ 身長（cm）^{2} × 10 ・15 ～ 18 を標準とするが、年齢により基準が異なる
新生児マススクリーニング検査
・生後 4 ～ 7 日くらいの新生児の血液を採取して先天性代謝異常などの有無を検査
乳幼児健康診査
・母子保健法に基づき、1 歳 6 か月児と 3 歳児に対して実施
乳幼児身体発育曲線
・2010（平成 22）年値を基に 3 及び 97 パーセンタイル曲線が母子健康手帳に記載されている

新生児の身体と生理機能

体格
・身長 50cm（生後 1 年で 1.5 倍） ・体重 3,000g（生後 1 年で 3 倍）
生理機能
・胎児循環から肺循環へ ・脳 350g（成人の 25%、生後 3 年で同 80%） ・頭蓋（大泉門、小泉門） ・母子免疫 ・脈拍、呼吸数（成人の 2 倍）
原始反射
・吸啜（きゅうてつ）反射……口の中に入ったものを吸おうとする ・モロー反射……大きな音や、頭の位置を急に変えるなどの刺激で、手足を伸展させた後、抱きつくようにする ・緊張性頸反射……仰向けの状態で頭を一方に向けると、向けた方の手足を伸ばし、反対の手足を曲げる ・バビンスキー反射……足裏をこすると足の親指が反り返り、指全体が広がる ・把握反射……ダーウィン反射ともいう。手のひら、足の裏に触れたものを握ろうとする ・自動歩行反射……わきの下を支えて立たせると歩くような動作をする

子どもの保健

No.1 **わが国の2023（令和5）年の人口動態統計の項目についての記述である。最も妥当なのはどれか。**

1 出生数は、100万人を上回った。
2 合計特殊出生率は、1.5を上回った。
3 死亡数は、200万人を上回った。
4 出生数と死亡数の差である自然増減数は前年より増加した。
5 死産率は前年より上昇した。

解説

1× わが国の2023（令和5）年の出生数は約72万7千人で、1899（明治32）年の人口動態調査開始以来最少となった。

2× 合計特殊出生率は1.20で、前年の1.26より低下し、過去最低となった。

3× 死亡数は約158万人で、前年の約157万人より増加し、調査開始以来最多となった。

4× 自然増減数は約84万9千人で、前年の約79万8千人より約5万1千人減少した。

5○ 死産数は1万5532胎で、前年の1万5179胎より増加し、死産率（出産（出生＋死産）千対）は20.9で、前年の19.3より上昇した。

（答 5）

No. 2 新生児の生理機能に関する記述の組み合わせとして、最も妥当なのはどれか。

A　出生時の脳の重量は成人の約 25％であるが、脳細胞の数はほぼ成人と同じである。
B　出生直後に排泄される便（胎便）は白く、独特の臭いがある。
C　胎児期に母体から獲得した免疫グロブリン IgA は出生後次第に減少する。
D　新生児の脈拍数、呼吸数はともに成人より多い。

1　A、B
2　A、C
3　A、D
4　B、D
5　C、D

解説

A○　新生児の脳の重量は、出生時に約 350g で成人の約 25％であるが、大脳新皮質の約 140 億個の脳細胞の数はほぼ揃っており、出生後には増えない。出生後の脳の重量の増加は脳細胞どうしの連絡をする神経回路が密になることなどによる。
B×　出生直後の便（胎便）は黒く無臭である。胎便には胎児の腸内の消化管分泌液や胎児がのみ込んだ羊水の成分などが含まれる。
C×　胎児期に母体から獲得する（母子免疫）のは免疫グロブリン IgG であり、出生後次第に減少するが、生後半年くらいの間、感染症から乳児を防御する。
D○　新生児は新陳代謝が盛んであり、心肺機能が未熟なため、脈拍数、呼吸数は成人の 2 倍くらい多い。

（答　3）

key word　**人口動態統計**

厚生労働省が毎年行っている、該当年の1月1日から12月31日までの人口動態を把握するための調査。出生、死亡、婚姻、離婚及び死産の全数を対象とする。これにより、合計特殊出生率や乳児死亡の死因、離婚の種類など、様々なことがわかる。

No. 3 **次の文は、人の出生後の血液の構成と働きに関する記述である。（ A ）～（ E ）にあてはまる語句を【語群】から選択した場合の正しい組み合わせを一つ選びなさい。**

人の血液は細胞成分と液体成分からなる。細胞成分のほとんどを占める（ A ）は酸素を身体中に運ぶ働きをしている。（ B ）は、体内に侵入した細菌やウイルス等に対する免疫機能を担っている。（ C ）は損傷した血管の止血を担っている。液体成分である（ D ）は、栄養分を身体に運び、老廃物を運び去る働きをしている。人の出生後の血液は、主に（ E ）で作られている。

【語群】

ア ヘモグロビン	イ 白血球	ウ 血小板	エ 赤血球
オ 血清	カ 血漿	キ 骨髄	ク 肝臓

（組み合わせ）

	A	B	C	D	E
1	エ	イ	ウ	カ	キ
2	ア	エ	オ	カ	ク
3	ウ	エ	カ	オ	ク
4	エ	ア	ウ	カ	キ
5	イ	ウ	カ	ア	ク

解説

人の血液は細胞成分と液体成分からなる。細胞成分のほとんどを占める（A エ　赤血球）は酸素を身体中に運ぶ働きをしている。（B イ　白血球）は、体内に侵入した細菌やウイルス等に対する免疫機能を担っている。（C ウ　血小板）は損傷した血管の止血を担っている。液体成分である（D カ　血漿）は、栄養分を身体に運び、老廃物を運び去る働きをしている。人の出生後の血液は、主に（E キ　骨髄）で作られている。

（答　1）

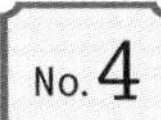

乳幼児の標準的な精神運動発達に関する次の記述のうち、最も妥当でないのはどれか。

1 生後2～3か月で、話しかけるとアーウーなどの声を出して喜ぶ。
2 生後3～4か月で、目の前のものを180度目で追うことができる。
3 2歳くらいで三輪車を踏んで動かすことができる。
4 2歳くらいで二語文を使える。
5 2歳くらいで両足でぴょんぴょん跳ぶことができる。

解説

1○ これはクーイングと呼ばれ、言葉の発達の初期の過程とされる。
2○ 乳児の視覚は出生後次第に発達する。新生児の頃には眼前の人の顔や赤いものなどを注視でき、生後3～4か月ではものを180度追視できるようになる。
3× 三輪車を自分で踏んでこげるようになるのは、3歳くらいである。
4○ 1歳～1歳半くらいで意味のある単語を発するようになり、2歳くらいになると、「お水、ちょうだい」など、単語をつなげて二語文を使えるようになる。
5○ 1歳くらいで歩けるようになり、2歳くらいになると両足でぴょんぴょん跳ぶことができるようになる。

（答 3）

check
●クーイングと喃語（なんご）
クーイング：生後2～3か月頃、落ち着いた機嫌のよいとき、話しかけられたときなどに「アーウー」などの声を出す。泣き声や叫び声とは違い、口や喉の形の変化により発せられる声。言葉の始まりとされる。
喃語：生後5～6か月頃、「バブバブ」等、子音、多音節からなる音を発するようになる。喃語の使用によって、乳児は口蓋や声帯、横隔膜等の発声のために必要な器官の精密な調節の仕方を学習して意味のある言葉の発声へと発展していくとされる。

No. 5 下記の事例を読み、この女児の担当保育士として行う行動として、最も妥当なものの組み合わせはどれか。

【事例】

保育所に通う生後５か月の女児。母親から、なかなか首がすわらず横抱きで授乳するため疲労しているとの相談を受けた。保育所内では、ミルクをよく飲み、あやすと笑うなど、機嫌よく過ごし、最近では寝返りをうとうとする動作も見受けられるが、母親の言うように、首のすわりが完成しておらず、授乳時やベッドから抱き上げる際に配慮の必要がある。

A　発育・発達には個人差があるので、まったく心配する必要はないと伝える。

B　首のすわりが遅れる原因となる疾病名や障害名について説明し、その可能性を示唆する。

C　しばらく子どもの発育・発達の様子をみながら、機会をみて医療機関を受診することも勧める。

D　首のすわりを促進するために、たて抱きで授乳することを提案する。

E　母親の心配の内容が育児の大変さであるのか、子どもの疾病や障害の可能性であるのかなどを見極めながら、母親の話に耳を傾ける。

1　A、D　　**2**　B、C　　**3**　C、D　　**4**　C、E　　**5**　D、E

解説

A×　首がすわるのは平均して生後３～４か月であり、生後５か月の本児の首がすわっていないのはいくらか遅く、安易に心配ないと伝えるのは妥当ではない。

B×　首のすわりが遅れる原因などについては医療機関での診察によって判断されるものであり、診断される前に具体的な病名などを出すのは母親の心配を煽ることになりかねない。なお、首のすわりの遅れる原因となる疾病には、脳性まひのほか運動神経の障害などがある。

C○　上記のように首のすわりが遅くなる原因については医療機関の受診が望ましいが、子どもの日々の発育発達の状態などを焦らずに様子をみることも大切である。

D× 首のすわりが完成していない子どもを無理にたて抱きにすることにより中枢神経の損傷などの原因にもなりかねない。

E○ 母親の話を聞く際には、母親の心配や不安の内容を見極めながら傾聴することが大切である。

（答 4）

No.6 乳幼児の身体の計測と評価に関する次の記述のうち、最も妥当でないのはどれか。

1 身長の計測は、2歳未満は仰臥位で、2歳以上は立位で測定する。
2 新生児は生後数日間は、出生体重より体重が減少するのが正常である。
3 母子健康手帳には乳幼児の体重、身長、頭囲のパーセンタイル曲線が載っている。
4 乳幼児の身体発育の評価として用いられるカウプ指数は22～25くらいが正常域である。
5 新生児仮死の後遺症としての脳性まひでは、頭囲が著しく小さいことがある。

解説

1○ 身長の計測は、2歳未満は筋肉や骨の発育が未熟であるため仰臥位で、2歳以上は立位で行う。

2○ 生後数日間の新生児の体重は、生理的体重減少として出生体重の5～10%減少するのが正常であり、ない場合は先天性疾患などの可能性もある。

3○ 母子健康手帳には、発達の目安として、乳幼児の各月齢の体重、身長、頭囲の3及び97パーセンタイル曲線が載っている。

4× カウプ指数は乳幼児の発育や栄養状態の判定をするために用いられる指数であり、体重(g)÷身長(㎝)^2×10で求められ、15～18くらいが正常域である。

5○ 新生児仮死の後遺症としての脳性まひや小頭症、狭頭症では頭囲が標準より著しく小さくなることが多い。

（答 4）

No. 7 **新生児マススクリーニングに関する記述のうち、最も妥当なのはどれか。**

1　生後４～６、７日目の新生児のうち、医師が診察して検査の必要を認める子どもに対して、家族の同意のもとに先天性代謝異常等の検査を実施する。
2　検査費用は検査希望者の個人負担である。
3　新生児の尿を採取して検査する。
4　先天性代謝異常等の早期発見、早期治療のための検査である。
5　発見される疾患は、フェニルケトン尿症が最も多い。

解説

1×　新生児マススクリーニングは、家族の同意のもとに、生後４～6，７日のすべての新生児を対象とする検査である。
2×　新生児マススクリーニングは、都道府県及び政令指定都市で、公費負担で行われる検査である。
3×　検査は、新生児のかかとからごく少量の血液を採取して、血中の標的物質を測定する。
4○　先天性代謝異常症、先天性内分泌疾患のうち、早期発見、早期治療することにより、発症を抑えたり、軽減したりすることができる疾患を対象としている。以前は、6疾患を対象としていたが、タンデムマス法の導入により、現在では20種以上の疾患の検査が可能となった。
5×　新生児マススクリーニングにより発見される疾患では、先天性甲状腺機能低下症（クレチン症）が最多で、次いでフェニルケトン尿症が多い。

（答　4）

No. 8 **保育所でよくみられる乳幼児の症状と看護に関する次の記述のうち、最も妥当なのはどれか。**

1　鼻血が出たときは血液が喉に入らないように仰向けに寝かせて様子をみる。

2　嘔吐の際、発熱がみられる場合、感染症の疑いを考え、嘔吐物の処理、消毒を行う。

3　発疹がみられる場合、感染症の疑いを考え、直ちに隔離して看護する。

4　けいれんが起こった場合、舌を噛まないように口の中にタオルなどを入れる。

5　下痢の症状が続く場合、吐き気や嘔吐がなければ水分は与えない。

解説

1×　鼻血の際、仰向けに寝かせると鼻血が喉の奥へ入って窒息の原因になることがあるため、頭を少し前方に傾け、小鼻を抑えて止血する。

2○　発熱を伴う嘔吐があるときはノロウイルスなどの感染性胃腸炎を疑い、感染拡大防止のため、嘔吐物の処理、消毒を行う。

3×　発疹は感染症のほかにじんましん、アトピー性皮膚炎によるものなどがあるため、ほかの症状と併せて観察し、必要があれば医師などに相談して対応する。

4×　けいれんの際、口の中にタオルや割りばしなどを入れると口の中を傷つけたり、窒息の危険などがあるため、口の中にものを入れず、安静にしてよく様子をみる。

5×　下痢に伴って脱水症を起こさないように、吐き気などの症状がなければ少しずつ水分を与えるようにする。

（答　2）

No. 9 起こりやすい子どものけがや事故と応急処置に関する次の記述のうち、最も妥当なのはどれか。

1 ころんで切り傷を負った → 水で洗わず、傷口に消毒薬を塗った

2 台所用洗剤を誤飲した → 背中を叩いて吐き出させた

3 ころんで頭を打って泣いた → 頭部を冷やし、安静にして様子をみた

4 ミツバチに刺された → 針を抜かずに、患部を冷やした

5 足首をくじいた → 患部をよくもんで冷やした

解説

1× 切り傷、擦り傷はまず傷口を流水等で洗浄し、傷口が浅く小さい場合は絆創膏を貼る。傷口が大きく出血量が多い場合などは止血する。消毒薬は傷口に入ると有毒なので通常はあまり用いない。

2× 台所用洗剤などは食道等の粘膜を傷める危険があるため吐かせず、飲んだ量が少ない場合は様子をみて、具合が悪そうなら病院へ連れて行く。

3○ 頭部打撲の後、泣いていて他の症状がない場合、患部を冷やし安静にして様子をみる。泣かずにぐったりして意識がなかったり、打撲後に嘔吐などの症状があったりする場合、脳内出血の可能性を考え、病院で診察を受ける。

4× ミツバチに刺された場合、患部に針が残っていると有毒なので針を抜き、患部をつまんで毒を出して洗浄し、冷やす。

5× 足首の捻挫の際は、患部をもんだりせずに動かさないようにし、冷やして、足首を固定する。

（答 3）

No. 10 **乳幼児突然死症候群（SIDS）に関する次の記述のうち、最も妥当なのはどれか。**

1 SIDSは、寝返りやおすわりをするようになる生後6か月から2歳頃の乳幼児に最も多く発症する。
2 SIDSの発症は年々増加傾向にある。
3 SIDS発症のリスクを下げるために、うつぶせ寝にすることが望ましい。
4 両親の喫煙は、SIDSの発症と関係があるとされる。
5 SIDSは、2022（令和4）年の0歳児死亡の原因の第1位であった。

解説

1× SIDSは、それまで元気だった乳幼児が、事故や窒息ではなく、眠っている間に突然死亡する病気であり、自分で身体を動かすことのできない生後2か月から6か月の乳幼児に多いとされている。
2× SIDSの発症原因はまだ特定されていないが、発症リスクを低減する研究等がなされ、育児習慣等に留意することにより、年々発症数は減少している。
3× あおむけで寝かせたときと比べ、うつぶせで寝かせたときの方がSIDSの発症率が高いと報告されている。
4○ 両親が喫煙する場合、両親が喫煙しない場合の約4.7倍SIDSの発症率が高いとの報告がある。
5× 2022（令和4）年の0歳児死亡原因の第1位は、先天奇形、変形及び染色体異常であり、SIDSでの死亡は死因第4位であった。

（答 4）

No. 11 食物アレルギーに関する次の記述のうち、最も妥当なのはどれか。

1 食物アレルギーは成人より子どもに多く、乳児期に発症することが多い。

2 食物アレルギーは、原因食物を口から摂取した場合にのみ発症する。

3 アレルギー症状は、主に嘔吐やじんましんなど消化器や皮膚の異常に限られる。

4 アレルギー症状は、原因食物を摂取した直後に現れる。

5 食物アレルギーによるアナフィラキシーショックの症状が現れた場合に用いるアドレナリン自己注射薬「エピペン®」は、必ず医師へ連絡し、許可を得てから使用する。

解説

1○ 食物アレルギーは、消化器官の未発達な乳児期に発症することが多く、発達とともに軽減することもある。

2× 食物アレルギーは、原因食物を経口摂取した場合のほか、触ったり吸い込んだりした場合にも発症することがある。

3× アレルギー症状は多岐にわたっており、消化器、皮膚のほか、呼吸器、粘膜（眼、鼻、口の中、喉など）に異常が現れることがある。

4× アレルギー症状の出方は、原因食物の摂取直後に現れる即時型と数時間以上経ってから現れる遅延型がある。

5× アレルギー症状が軽い場合には、抗ヒスタミン剤などの内服薬が用いられるが、急激な全身症状を引き起こすアナフィラキシーショック症状の場合、緊急性が高いため、その措置として、直ちに保育士などの職員がエピペン®を使用し、医療機関にはエピペン®を使用したことを伝える。

（答　1）

No. 12 母子健康手帳に関する次の記述のうち、妥当でないのはどれか。

1 乳幼児身体発育曲線は2000（平成12）年値を基準としている。
2 乳児の便色カードが掲載されている。
3 母の産後うつなど心のケアについての記入欄がある。
4 胎児の発育の経過を記載することができる。
5 学童期以降の成長の様子を記載することができる。

解説

1× 現在の母子健康手帳の乳幼児身体発育曲線は、2010（平成22）年値を基準として掲載している。
2○ 胆道閉鎖症（たんどうへいさしょう）早期発見のため、便色の確認の記録（便色カード）のページが設けられている。
3○ 2023年4月の改定により、産後うつなど心のケアについての記入欄が充実するようになった。
4○ 胎児の発育の様子（胎児発育曲線など）を記載できる。
5○ 学童期以後18歳までの成長の様子（成長曲線など）を記載できる。

（答 1）

check

●食品のアレルギー表示

アレルギー物質の中でも重篤度・症例数の多い8品目を特定原材料として表示を義務づけ、さらに20品目を特定原材料に準ずるものとして表示が推奨されている。

	表示	食品名
特定原材料（8品目）	義務	卵、乳、小麦、そば、落花生、えび、かに、くるみ（2025〔令和7〕年3月末日まで経過措置あり）
特定原材料に準ずるもの（20品目）	推奨	いくら、キウイフルーツ、大豆、バナナ、やまいも、カシューナッツ、もも、ごま、さば、さけ、いか、鶏肉、りんご、まつたけ、あわび、オレンジ、牛肉、ゼラチン、豚肉、アーモンド

No. 13 乳児期に見られる反射に関する記述である。（　A　）～（　D　）にあてはまる語句の正しい組み合わせを一つ選びなさい。

反射には、新生児期から存在し成長とともに消失していく（　A　）と、発達の途中で獲得される（　B　）などがある。（　A　）は（　C　）や脊髄によって司られ、（　D　）の発達とともに消失していく。（　B　）は生後３か月以降に出現し、身体の平衡を保つために働く反射である。

（組み合わせ）

	A	B	C	D
1	原始反射	姿勢反射	大脳	延髄
2	姿勢反射	原始反射	脳幹	大脳
3	原始反射	姿勢反射	脳幹	大脳
4	姿勢反射	モロー反射	中脳	前頭葉
5	モロー反射	原始反射	中脳	脳幹

解説

A　原始反射

B　姿勢反射

C　脳幹

D　大脳

原始反射は、出生後の生命維持や環境への適応のために備わった反射であり、モロー反射、手掌把握反射などいくつかの種類がある。これらは、大脳の発達とともに次第に消失される。原始反射が出現しない、消失しない、または消失すべき時期が遅れるなどの場合、中枢神経系の発達に問題があることがある。姿勢反射は、位置覚に関与する受容器により姿勢や運動時の平衡を保つために働く反射であり、生後３か月以降に出現するため、乳児期後期の発達評価に用いられる。

（答　3）

No. 14 予防接種に関する次の記述のうち、最も妥当なのはどれか。

1　生ワクチンは不活化ワクチンに比べ、免疫持続力が低い。

2　予防接種は原則的に集団接種である。

3　MR ワクチンは 2 回接種する。

4　予防接種は、定期予防接種と任意予防接種があり、おたふくかぜワクチンは定期接種である。

5　B 型肝炎ワクチンは任意予防接種である。

解説

1×　生ワクチンは弱毒化した病原菌を接種するため、ウイルスを殺して接種する不活化ワクチンに比べ、免疫を長期間持続する。

2×　予防接種は、以前は集団接種であったが、1994（平成 6）年から予防接種法改正により個別接種となっている。

3○　MR ワクチンは麻しん・風しん混合ワクチンであり、近年免疫力低下による流行が問題となり、2 回接種となった。

4×　おたふくかぜ（ムンプス）ワクチンは予防接種法に規定されていない任意予防接種である。

5×　B 型肝炎ワクチンは、2016（平成 28）年 10 月より定期接種に指定された。標準として、生後 2 か月、3 か月、7 ～ 8 か月の 3 回接種する。

（答　3）

key word　MR ワクチン

MR（麻しん・風しん混合）ワクチンの接種時期は、原則1回目は満 1 歳（月齢12～24か月未満）、2回目は5歳以上7歳未満で小学校入学前の1年間である。２回の接種を受けることで 1 回の摂取では免疫が付かなかった方の多くに免疫を付けることができる。

No. 15 「2018年改訂版　保育所における感染症対策ガイドライン」（2023〔令和5〕年5月一部改訂）における、感染症に罹患した場合の登園の目安に関する記述として、最も妥当なのはどれか。

1　麻しんに罹患したら、解熱した後5日を経過するまで登園を控える。

2　風しんに罹患したら、すべての発疹が痂皮化するまで登園を控える。

3　水痘（水ぼうそう）に罹患したら、すべての発疹が消失するまで登園を控える。

4　通常のインフルエンザに罹患したら、発症後3日を経過し、かつ解熱後2日（幼児では3日）を経過するまで登園を控える。

5　ノロウイルス感染症に罹患したら、嘔吐や下痢等の症状が治まり、普通の食事ができるようになるまで登園を控える。

解説

1×　麻しんに罹患（りかん）したら、解熱した後（解熱した日を入れず）3日を経過するまで登園を控える。

2×　風しんに罹患したら、すべての発疹が消失するまで登園を控える。

3×　水痘（水ぼうそう）に罹患したら、すべての発疹が痂皮（かひ）（かさぶた）化するまで登園を控える。

4×　通常のインフルエンザに罹患したら、発症後5日を経過し、かつ解熱後2日（幼児では3日）を経過するまで登園を控える。

5○　記述のとおりである。ノロウイルスやロタウイルスは便中に3週間以上排出されることがあるため、手洗いを徹底する。

（答　5）

key word　登園基準の日数の数え方

発熱、解熱などの現象がみられた当日は算定せず、その翌日を第1日とする。「解熱した後3日を経過するまで」の場合、熱の下がった日は数えず、翌日から3日間を休み、4日目から登園可能となる。同様に、「発症した後5日を経過するまで」の場合、症状の現れた日の翌日から5日を経過した6日目からのことである。

No. 16 「2018年改訂版　保育所における感染症対策ガイドライン」(2023〔令和5〕年5月一部改訂）における保育現場の衛生管理や消毒方法に関する次の記述のうち、最も妥当でないのはどれか。

1　遊具などの消毒の際、消毒用エタノールは原液（70～80%）を用いる。
2　逆性石けんは普通の石けんと同時に用いると効果が高い。
3　嘔吐物の処理には次亜塩素酸ナトリウム希釈液を用いる。
4　次亜塩素酸ナトリウムは一般細菌やウイルスの消毒に有効である。
5　空気感染の防止のために部屋の換気が有効である。

解説

1○　消毒用エタノールは多くの細菌、ウイルスに有効（ただしノロウイルスには無効）であり、原液（70～80%）を用いる。
2×　逆性石けんは洗浄力はあまりないが消毒力に優れている。ただし、普通の石けんと同時に用いると効果がなくなる。
3○　嘔吐物の処理には、ノロウイルス等の消毒のため、有効塩素濃度6%の次亜塩素酸ナトリウム薬の0.02～0.1%希釈液で拭き取りまたは浸け置き消毒をする。
4○　次亜塩素酸ナトリウムはノロウイルスなど多くの病原体に有効である。
5○　麻しんのように空気感染する感染症の予防として、部屋の換気が有効である。

（答　2）

check
●主な消毒薬の種類と使い方

薬品名	次亜塩素酸ナトリウム	亜塩素酸水	逆性石けん	消毒用エタノール
消毒する場所・もの	衣類、歯ブラシ、遊具、哺乳瓶	衣類、歯ブラシ、遊具、哺乳瓶	手指、トイレのドアノブ	手指、遊具、トイレのドアノブ
新型コロナウイルス感染症に関する有効性	有効（ただし手指には使用不可）	有効（ただし手指への使用上の効果は確認されていない）	有効（ただし手指への使用上の効果は確認されていない）	有効
ノロウイルスに関する有効性	有効	有効	無効	無効
効きにくい病原体	―	―	結核菌、大部分のウイルス	ノロウイルス、ロタウイルス　等

子どもの保健

No. 17 「2018年改訂版　保育所における感染症対策ガイドライン」(2023〔令和5〕年5月一部改訂) における、感染症発生の三大要因とその予防対策に関する記述である。(A)〜(F)にあてはまる語句を【語群】から選択した場合の正しい組み合わせを一つ選びなさい。

感染症が発生するためには、病原体を排出する(A)、病原体が人、動物等に伝播(でんぱ)するための(B)、病原体に対する(C)が存在する人、動物等の宿主の三つの要因が必要である。
(A)に対する予防対策としては(D)など、(B)に対する予防対策としては(E)など、(C)に対する予防対策としては(F)などが有効である。

【語群】

ア 感染源　イ 感受性　ウ 感染経路　エ 予防接種　オ 手洗い カ 感染症罹患者は登園を控えること

(組み合わせ)

	A	B	C	D	E	F
1	ア	イ	ウ	オ	エ	カ
2	ア	ウ	イ	カ	オ	エ
3	イ	ア	ウ	カ	エ	オ
4	イ	ウ	ア	エ	オ	カ
5	ウ	ア	イ	エ	カ	オ

解説

感染症が発生するためには、病原体を排出する（Aア　感染源)、病原体が人、動物等に伝播するための（Bウ　感染経路)、病原体に対する（Cイ　感受性）が存在する人、動物等の宿主の三つの要因が必要である。
（Aア　感染源）に対する予防対策としては（Dカ　感染症罹患者は登園を控えること）など、（Bウ　感染経路）に対する予防対策としては（Eオ　手洗い）など、（Cイ　感受性）に対する予防対策としては（Fエ　予防接種）などが有効である。

（答　2）

No. 18 下記の事例を読み、この男児の担当保育士として行うべき行動のうち、妥当でないのはどれか。

【事例】
保育所に通う生後6か月の男児。健康診断で、1か月以上体重が増加していないことがわかった。身長や精神発達には遅れがみられず、保育所内での保育士との関わりにも問題はみられず、ミルクもよく飲む。母親に話を聞くと、男児の空腹や満腹などについて気づくことができず、げっぷの必要性やタイミングがわからないとのことであった。

1 機会をみつけて、男児の父親にも話を聞く。
2 保育所内の職員とこの親子の状況を共有して、対応を図る。
3 子どもの発育状態をよりよく把握するため、継続的に計測、観測を行う。
4 母親に、適切な授乳などをしないことは、ネグレクトにあたることを説明する。
5 嘱託医や関係機関と連携し、男児だけでなく母親への育児支援を検討する。

解説

1○ この男児には、体重の増加不良以外の発達に問題がみられず、保育所内での様子も安定していることから、家庭内での様子を知るために、男児の父親に話を聞くことは適切である。

2○ 子どもの様子について、職員間で共通理解をして対応していくことが大切である。

3○ 子どもの健康状態や発育及び発達状態については、定期的かつ継続的に、また、必要に応じて随時把握することが大切である。

4× この男児の体重増加不良の原因はまだ特定されておらず、母親が意図的に授乳等をしていないことが明らかではないため、虐待の一つであるネグレクトと決めつけ、それを母親に伝えることは不適切である。

5○ 男児の発育支援とともに、母親の育児支援を検討するために、嘱託医や関係機関と連携を図ることは重要である。

（答 4）

No. 19 **児童虐待の発生予防に関する次の記述のうち、最も妥当でないのはどれか。**

1　児童虐待はどこにでも起こりうるという認識に立って、一般的な子育て支援サービスを充実させることが重要であり、虐待が発生しやすい環境の子どもや保護者を見極めて支援することは人権の観点から望ましくない。

2　虐待に至るおそれのある保護者側のリスク要因の一つとして、望まない妊娠が挙げられる。

3　保護者自身が身体的・精神的に不健康な状態での妊娠・出産は虐待のリスク要因の一つである。

4　子ども側のリスク要因の一つとして、乳児期の子どもが挙げられる。

5　養育環境のリスク要因の一つとして、未婚を含む単身家庭が挙げられる。

解説

1×　一般的な子育て支援サービスの充実だけでなく、虐待発生のリスク要因を有する家庭や親子を見極め、必要な支援をすることによって虐待発生を予防することも重要である。

2○　虐待のおそれのあるリスク要因が明らかにされてきており、保護者側のリスク要因の一つとして、望まない妊娠により妊娠そのものを受容することが困難な場合が挙げられる。

3○　その他の保護者側のリスク要因には、①保護者自身が攻撃的・衝動的な性格である、②精神障害や慢性疾患など、身体的・精神的に不健康な状態にある、③過去に虐待を受けた経験がある、④精神的に未熟である、などが挙げられる。

4○　子ども側のリスク要因として、①乳児期の子ども、②未熟児、障害児、③何らかの育てにくさを持っている子ども、などが挙げられる。

5○　養育環境のリスク要因には、①未婚を含む単身家庭、②内縁者や同居人がいる、③子ども連れの再婚家庭、④経済的に不安定、⑤夫婦の不和、などが挙げられる。

（答　1）

子どもの精神医学的問題とその主な特徴や症状の組み合わせのうち、最も妥当なのはどれか。

1　レット症候群 ――――― 男児に多く発症
2　チック ――――― 脳波異常
3　てんかん ――――― 発作
4　強迫性障害（強迫症） ――――― けいれん
5　場面緘黙 ――――― 幻覚

解説

1×　レット症候群は**女児に多く発症**し、知能、言語、運動能力などの遅れを伴う神経疾患であり、遺伝子変異が原因とされる。

2×　チックは顔面などの筋肉の不随意な動きや発声などを特徴とする症状であるが、通常、**脳波異常は認められない**。

3○　てんかんは特有の**発作**を繰り返し、**脳波の異常**が認められる疾病である。

4×　強迫性障害（強迫症）は、自分でも不合理だとわかっているのにある観念や行為にとらわれている状態で、思春期以降に多く発症するが、**けいれんの症状は通常認められない**。

5×　場面緘黙（かんもく）は保育所内など、生活の特定の場面だけで話せなくなる状態であるが、**幻覚症状は認められない**。

（答　3）

No. 21 **DSM-5-TR（精神疾患の診断・統計マニュアル：アメリカ精神医学会）による自閉スペクトラム症（ASD）の特徴の組み合わせとして、最も妥当なのはどれか。**

A　知的発達症（知的能力障害）
B　発達性協調運動症
C　対人相互作用の欠落
D　対人コミュニケーションの欠陥

1　A、B　　**2**　A、C　　**3**　A、D　　**4**　B、D　　**5**　C、D

解説

A×　知的発達症（知的能力障害）は、DSM-5-TR では神経発達症群の中の一つとされるが、自閉スペクトラム症（ASD）の特徴ではない。ただし、知的発達症（知的能力障害）が ASD と併存することはある。

B×　発達性協調運動症は神経発達症群の中の一つとされるが、自閉スペクトラム症（ASD）の特徴ではない。

C○　自閉スペクトラム症（ASD）は神経発達症群の中の一つに分類され、その特徴の一つに、**対人相互作用の欠落**が挙げられている。対人関係において、相手の感情や場の雰囲気を感じ取ることなどが苦手とされる。

D○　対人コミュニケーションの欠陥とは、双方向的な会話や言葉の背後にあるメッセージを読み取ることが苦手で、不安等でコミュニケーションの能力が強く変動するなどのこととされている。

（答　5）

Key word　DSM-5-TR

DSM-5-TRは、アメリカ精神医学会が作成する精神疾患・精神障害の診断・統計マニュアルの最新版である。DSMは精神医学の進歩や認識の変化によって数回の改訂がなされており、DSM-5では、DSM-3で自閉性障害、アスペルガー障害、広汎性発達障害などと呼ばれていたいくつかの障害を「自閉スペクトラム症（ASD）」という概念でまとめ、これらの障害は連続した障害であるという見方を採用している。なお、DSM-5-TRはその本文改訂版である。

No. 22 次の文は、WHO（世界保健機関）憲章における健康の定義に関する記述である。文中の（　A　）～（　D　）にあてはまる語句の組み合わせとして、最も妥当なのはどれか。

健康とは、単に病気ではないとか虚弱ではないということではなく、（　A　）にも、（　B　）にもそして（　C　）にも、すべてが（　D　）な状態である。

	（A）	（B）	（C）	（D）
1	肉体的	能力的	経済的	正常
2	肉体的	精神的	社会的	良好
3	精神的	経済的	社会的	正常
4	精神的	社会的	個人的	平穏
5	個人的	社会的	家庭的	良好

解説

WHO 憲章における健康の定義は以下のとおり。

健康とは、単に病気ではないとか虚弱ではないということではなく、（A 肉体的）にも、（B 精神的）にもそして（C 社会的）にも、すべてが（D 良好）な状態である。

（答　2）

WHO（世界保健機関）

国際連合の専門機関であり、人間の健康を基本的人権の一つととらえ、その達成を目的としてWHO憲章を提唱し、健康を定義している。その活動は、国際疾病分類（ICD）の作成、感染症対策、健康増進のための取り組みの推進など多岐にわたる。

No. 23 慢性疾患がある子どもの保育に関する次の記述のうち、最も妥当でないのはどれか。

1　慢性疾患を持つ子どもの保育にあたっては、その主治医及び保護者との連絡を密にし、病状の変化や保育の制限等について保育士等が共通理解を持つことが必要である。

2　対象の子どもの扱いが特別なものにならないように留意する。

3　守秘義務の観点から、他の子どもや保護者には、病気について極力知らせないようにする。

4　保育所における医療的ケアの限界と困難度等について、保護者の十分な理解を得るようにする。

5　保育所において、薬を与える場合は、医師の指示に基づいた薬に限定する。

解説

1○　発達途上の子どもにとって治療だけでなく、遊びや学びを通してできるだけ多くの経験をすることが必要である。そのため、主治医や保護者との連絡を密にしながら、職員同士の共通理解のもとに、対象の子どもにとって最良の保育がなされるよう考慮することが望ましい。

2○　保育所は、集団生活の中で子ども同士の遊びや学びを通して子どもたちの発達を支援する場であるため、慢性疾患がある子どもも病状による制限以上に特別な扱いをしないよう留意しなければならない。

3×　慢性疾患がある子どもは長期の加療や保育制限などが必要であるため、対象児の保護者の了解のもとで、他の子どもや保護者に病状等に関する理解を求めることが望ましい。

4○　保育所における医療的ケア等には限界があり、病状が変化した場合の連絡等に関して、前もって、また必要に応じて保護者と十分に話し合い、理解を得ることが重要である。

5○　保育所で薬を与える場合は、医師の指示に基づいた薬に限定し、その際には、保護者に医師名、薬の種類、内服方法等を具体的に記載した与薬依頼票を持参してもらうことが望ましい。

（答　3）

No. 24 **「保育所保育指針」第 3 章「健康及び安全」1「子どもの健康支援」(1)「子どもの健康状態並びに発育及び発達状態の把握」に関する記述である。文中の（　A　）～（　C　）にあてはまる語句の組み合わせとして、最も妥当なのはどれか。**

ア　子どもの心身の状態に応じて保育するために、子どもの健康状態並びに発育及び発達状態について（　A　）に、また、必要に応じて随時、把握すること。

イ　保護者からの情報とともに、登所時及び保育中を通じて子どもの状態を観察し、何らかの疾病が疑われる状態や傷害が認められた場合には、（　B　）に連絡するとともに、嘱託医と相談するなど適切な対応を図ること。

ウ　子どもの心身の状態等を観察し、不適切な養育の兆候が見られる場合には、市町村や関係機関と連携し、児童福祉法第 25 条に基づき、適切な対応を図ること。また、虐待が疑われる場合には、速やかに（　C　）に通告し、適切な対応を図ること。

	(A)	(B)	(C)
1	入所時	保健所	市町村
2	入所時	保健所	児童相談所
3	入所時及び退所時	児童相談所	保健所
4	定期的・継続的	保護者	市町村又は児童相談所
5	定期的・継続的	市町村	保健所

解説

「保育所保育指針」第 3 章「健康及び安全」1「子どもの健康支援」(1)「子どもの健康状態並びに発育及び発達状態の把握」の記述により、(A) 定期的・継続的、(B) 保護者、(C) 市町村又は児童相談所である。(C) の虐待が疑われる場合の通告に関しては、児童福祉法第 25 条のほか児童虐待防止法においても、児童虐待の早期発見に努めなければならないことが明記されている。

（答　4）

おさえよう！

子どもの食と栄養の厳選ポイント

ここだけおさえる

栄養に関する基礎知識

	炭水化物（糖質）	たんぱく質	脂質
主な働き	エネルギー源 血糖の調節	からだをつくる	細胞膜、神経組織の構成成分、エネルギー源
含まれる食品	穀類	肉、魚、大豆類	油類
主な特徴	・炭素、水素、酸素で構成される有機化合物で、糖質と食物繊維に分けられる ・糖質は日本の食生活では通常欠乏しないが、不足時には糖新生が起こり、体内に蓄えられているたんぱく質や脂質を分解し、エネルギーに充当する	・アミノ酸が多数結合した高分子化合物で、窒素や硫黄を含む ・身体の骨格や筋肉などからだをつくる働きがある ・乳幼児はアルギニンが体内では合成されないため、必須アミノ酸に含まれる	・水に溶けず、単純脂質（中性脂肪など）、複合脂質（リン脂質、糖脂質など）、誘導脂質（ステロールなど）に大別される ・体内では合成されない必須脂肪酸にはドコサヘキサエン酸などのn-3系脂肪酸とリノール酸などのn-6系脂肪酸が含まれる
学習のポイント	エネルギー源、炭水化物の消化、糖新生	必須アミノ酸の種類、アルギニン	脂肪酸の種類と働き、必須脂肪酸

	ビタミン	ミネラル
主な働き	身体の機能の調節作用	身体の構成成分 身体の働きを助ける
含まれる食品	ビタミンの種類により異なる	ミネラルの種類により異なる
主な特徴	・微量でよいが、生命の維持に必要不可欠である ・水溶性と脂溶性に分けられる。脂溶性ビタミンはビタミンA、ビタミンE、ビタミンD、ビタミンKのみ	・体内では合成できないので、食事等で摂取が必要 ・日本人に欠乏が目立つものはカルシウムと鉄、過剰となりやすいのはヨウ素である
学習のポイント	脂溶性ビタミンの種類、欠乏症・過剰症、葉酸の働き	カルシウム、鉄の働きと含まれる食品

<水分>
・身体を構成する物質のうちで最も量が多い
・排泄、発汗により失われるが、皮膚及び呼気からも水分を失う。これを不感蒸泄（ふかんじょうせつ）という
・乳児期は体重の70～80％（成人は約65％）と体重あたりの水分量が多いため、発熱や下痢などの際は、水分補給に特に気をつける必要がある

離乳の時期と特徴

時期	月齢	舌の動き	離乳食の回数	栄養の割合（母乳：離乳食）	食べられるようになる食品	調理形態
離乳初期	5～6か月	前後運動	1～2回	8：2	米、白身魚、野菜、果物	なめらかにすりつぶした状態
離乳中期	7～8か月	前後上下運動	2回	6：4	初期の食品＋鶏卵、鶏のささみ	舌でつぶせる固さ
離乳後期	9～11か月	前後上下左右運動	3回	5：5	中期の食品＋牛・豚赤身肉、貝類	歯ぐきでつぶせる固さ
離乳完了期	12～18か月	大人と同じ動きになる	3回＋間食	3：7	大人と同じ	歯ぐきで噛める固さ

妊娠期の食生活

食生活の主なポイント

- 妊娠前からバランスのとれた食事を心がけ、健康なからだづくりを目指す。
- 主食を中心に、必要なエネルギーを必要なだけ摂取する。
- 不足しがちなビタミン、ミネラルを副菜でたくさん摂取する。神経管閉鎖障害のリスクを低減させるため、特に、葉酸の摂取が大切である。
- からだづくりの基礎となる主菜を適量摂取する。ただし、妊娠初期には胎児の発育異常のリスクを減らすため、ビタミンAのサプリメント等の摂取は控える。
- カルシウムを牛乳・乳製品など多様な食品から摂る。
- ヨウ素の過剰摂取にならないよう注意する。

妊娠期の食事摂取基準（「日本人の食事摂取基準2020年版」より）

- 妊娠期のエネルギーや栄養素の量は非妊娠期のエネルギーや栄養素の量に付加を加えることで示される。付加量が定められているものには、エネルギー、たんぱく質、ビタミンA、ビタミンB_1、ビタミンB_2、ビタミンB_6、ビタミンB_{12}、葉酸、ビタミンC、マグネシウム、鉄、亜鉛、銅、ヨウ素、セレンがある。
- 付加量は妊娠初期、中期、後期で異なる際には分けて記載される場合があり、エネルギー、たんぱく質、ビタミンA、鉄については、妊娠初期と中期・後期に分けての記載となっている。

子どもの食と栄養

／18　／18

No.1　**「日本人の食事摂取基準 2020 年版」に関する次の記述のうち、最も妥当なのはどれか。**

1　「日本人の食事摂取基準 2020 年版」では、65 歳以上の高齢者を年齢によって 3 段階に区分している。

2　生活習慣病の予防を目的として、ナトリウム（食塩相当量）の目標量が引き下げられた。

3　幼児の体重 1kg あたりのエネルギー、たんぱく質、鉄、カルシウムなどの摂取基準は、成人の 1/2 ～ 1/3 となっている。

4　3 ～ 5 歳の推定エネルギー必要量は男子 1550kcal/ 日、女子 1450kcal/ 日である。

5　50 歳以上のたんぱく質の目標量が引き下げられ、男女ともに 13 ～ 20% エネルギーである。

解説

1 ×　2020 年版から、高齢者を 3 段階ではなく、65 ～ 74 歳と 75 歳以上の 2 段階に区分している。

2 ○　ナトリウムの目標量は、2015 年版に引き続き、2020 年版でさらに引き下げられた。18 歳以上の男性は 7.5g/ 日未満、女性は 6.5g/ 日未満が目標量である。

3 ×　成人の 2 ～ 3 倍である。幼児は成人に比べ、多くのエネルギーや栄養素を必要とする。

4 ×　記述は 6 ～ 7 歳の 1 日あたりの推定エネルギー必要量である。3 ～ 5 歳では男子 1300kcal、女子 1250kcal である。

5 ×　フレイルの発症予防を目的として、たんぱく質の目標量が引き上げられた。50 ～ 64 歳で 14 ～ 20% エネルギー、65 歳以上で 15 ～ 20% エネルギーが目標である。

（答　2）

No. 2 「調理の基本」に関する次の記述のうち、最も妥当なものはどれか。

1 計量スプーンの小さじ1は、調味料の容量15gをはかりとることができる。

2 電子レンジ加熱は、紫外線により食品中の水分を振動させ、その摩擦によって加熱する方法である。

3 献立の主菜には、いも、野菜、きのこ、海藻などを主原料とする料理が含まれる。

4 手指に化膿した傷がある状態で食品を扱うと、そこに存在する細菌により食中毒を起こす可能性がある。

5 汁物の食塩の基準濃度は一般に 4 ～ 5% である。

解説

1× 小さじ 1 は調味料の容量 5 mL であり、容量 15 mL は大さじ 1 である。

2× 紫外線ではなく、電磁波（マイクロ波）である。紫外線は包丁やまな板などの器具保管庫で殺菌の目的で使用されることがある。

3× いも、野菜、きのこ、海藻などを主原料とする料理は副菜であり、主菜は、肉、魚、卵、大豆などのたんぱく質を多く含む料理をいう。

4○ 化膿している手指の傷口等には黄色ブドウ球菌が多く存在する。食品に触れた際に、傷口から菌が付着し、食品保存中に増殖して毒素を産生すると食中毒が起こる。

5× 塩分濃度 4 ～ 5% は漬物やつくだ煮の塩分濃度である。汁物の塩分濃度は一般に 0.5 ～ 1% 程度である。

（答 4）

No. 3 子どもの発育、発達に関する次の記述のうち、最も妥当なのはどれか。

1　思春期には急激な発育に伴い、男女ともに貧血を起こしやすい。

2　第一次発育急進期とは出生後から1か月までを指す。

3　スキャモン（Scammon）の器官別発育曲線では、乳幼児期に最も急速に発達するのはリンパ型である。

4　乳幼児期の栄養状態の判定にはローレル指数を用いる。

5　日本の乳幼児死亡率はWHO加盟国の中で極めて低い。

解説

1×　思春期に貧血を起こしやすいのは女子のみで、月経による失血が主な原因である。

2×　第一次発育急進期とは主に出生後から幼児期までを指す。満1歳で体重は3倍に、4歳で5倍になる。

3×　乳幼児期に最も急速に発達するのは神経型で、中枢神経系の発達が最も早い。リンパ型は11～13歳頃である。

4×　通常、乳幼児期の栄養状態の判定にはカウプ指数を用いる。ローレル指数は学童期に使用し、20歳以上はBody Mass Index（BMI）を用いる。

5○　正しい。乳幼児死亡率は生まれてから5歳までに死亡する確率を表している。

（答　5）

check

●歯の成長のめやす（成長には個人差がある）

6～8か月	乳歯が生え始める
1歳3か月～1歳8か月	第一乳臼歯が生える
1歳9か月～2歳半	第二乳臼歯が生える
3歳頃	20本すべての乳歯が生えそろう

No.4 栄養素の消化に関する記述で、最も妥当なのはどれか。

1 でんぷんは唾液に含まれるマルターゼにより分解される。
2 たんぱく質は体内で過剰になると分解されて、エネルギー源となる。
3 中性脂肪は主に胃で分泌されるペプシンにより消化される。
4 糖質は体内で吸収され、肝臓に運ばれた後、乳糖になる。
5 たんぱく質は消化され、アミノ酸として小腸から吸収される。

解説

1× でんぷんの分解はアミラーゼによりおこる。アミラーゼは唾液と膵臓から分泌される膵液にも含まれている。

2× たんぱく質が体内で過剰であるからといって、エネルギーを作ることはない。たんぱく質を過剰摂取すると、尿中に排泄されて腎臓に負担がかかる。

3× 中性脂肪の消化は主に膵液に含まれるリパーゼという消化酵素により分解される。

4× 糖質は体内で消化され、単糖類として小腸で吸収され、肝臓に運ばれた後、ブドウ糖に変換される。

5○ 体内で合成されるアミノ酸もあるが、人が生きていくのに必要不可欠であるにもかかわらず、体内では合成されないため食事から摂らなければならない必須アミノ酸もある。食事によるたんぱく質摂取は重要である。

（答 5）

Key word **必須アミノ酸**

体内では合成されないため食事から摂取しなければならないアミノ酸。
イソロイシン、スレオニン（トレオニン）、トリプトファン、バリン、ヒスチジン、フェニルアラニン、メチオニン、リジン、ロイシンの９種類。
※乳幼児期にはアルギニンも含まれるので要注意！

No. 5 炭水化物の特徴に関する次の記述のうち、最も妥当なのはどれか。

1 糖質の代謝にはビタミンB_1が必要で、不足すると糖の代謝が進まなくなる。

2 1gの糖質から6kcalのエネルギーが作られ、主な働きとして血糖の調節機能がある。

3 糖質の欠乏は近年よくみられるが、糖質が不足しても、たんぱく質、脂質からはエネルギーが作られないため、注意が必要である。

4 食物繊維には水溶性と不溶性があり、水溶性食物繊維は腸の蠕動運動を盛んにし、便量を増加させる。不溶性食物繊維は小腸内でコレステロールや糖の吸収を妨げる。

5 ブドウ糖（グルコース）は炭素、酸素、窒素からなる。

解説

1 ○ 記述のとおり。他に、ビタミンやミネラルも微量ではあるが、体の調子を整えるためになくてはならない重要な役割を果たしている。

2 × 1gの糖質からは4kcalのエネルギーがつくられる。糖質には血糖の調節機能もある。

3 × エネルギー不足時には体に蓄えられているグリコーゲンを使用するため、通常は欠乏症が出ることはほとんどない。それでも足りない場合は、体たんぱく質や体脂肪が分解されて、エネルギー源として充当される。これを糖新生という。

4 × 水溶性食物繊維は小腸内でコレステロールや糖の吸収を妨げる。不溶性食物繊維は腸の蠕動（ぜんどう）運動を盛んにし、便量を増加させる。

5 × 糖質は炭素、酸素、水素からなる。

（答 1）

No.6 「ミネラル」に関する次の記述のうち、最も妥当なものはどれか。

1 ヨウ素は甲状腺ホルモンの構成成分であり、肉類に多く含まれる。
2 鉄はヘモグロビンの成分であり、レバーに多く含まれる。
3 亜鉛の欠乏症は夜盲症である。
4 ナトリウムは骨や歯の構成成分である。
5 カルシウムは、現在の日本人の食生活では不足する状態にはならない。

解説

1× ヨウ素はチロキシンの構成成分で、海藻等の海産物に多く含まれる。
2○ 鉄は、レバーの他にきな粉、煮干し、のり等にも多く含まれる。
3× 亜鉛の欠乏症状には、味覚障害等がある。夜盲症はビタミンAの欠乏症である。
4× 骨や歯を構成するのはナトリウムではなく、カルシウムやリンである。
5× カルシウムは日本人の食生活において、不足傾向である。不足すると骨粗鬆症を引き起こすので注意が必要である。

（答　2）

check

●カルシウムと鉄について

ミネラル	欠乏症	多く含まれる食品
カルシウム	骨粗鬆症	牛乳、乳製品、小魚
鉄	鉄欠乏性貧血	きな粉、レバー、ひじき

No. 7 食品の分類に関する次の記述のうち、最も妥当なのはどれか。

1　３色食品群で、主に体の調子を整えるのは黄のグループである。
2　３色食品群で赤のグループには、米やパン、めん類が含まれる。
3　６つの基礎食品群では牛乳・乳製品は３群に分類されている。
4　６つの基礎食品群では６群に含まれる食品に体の各機能を調節するという働きがある。
5　６つの基礎食品群では砂糖は５群に含まれる。

解説

1×　体の調子を整えるグループは緑のグループである。
2×　赤のグループには、肉、魚、大豆、牛乳・乳製品、卵などが含まれる。
3×　牛乳・乳製品は２群であり、３群には緑黄色野菜が含まれる。
4×　６群は油脂類で、エネルギー源となる働きがある。体の各機能を調節する働きは１群と６群を除く、すべての群の食品がもつ。
5○　砂糖のほかに、穀類・いも類等も同じ５群である。

（答　5）

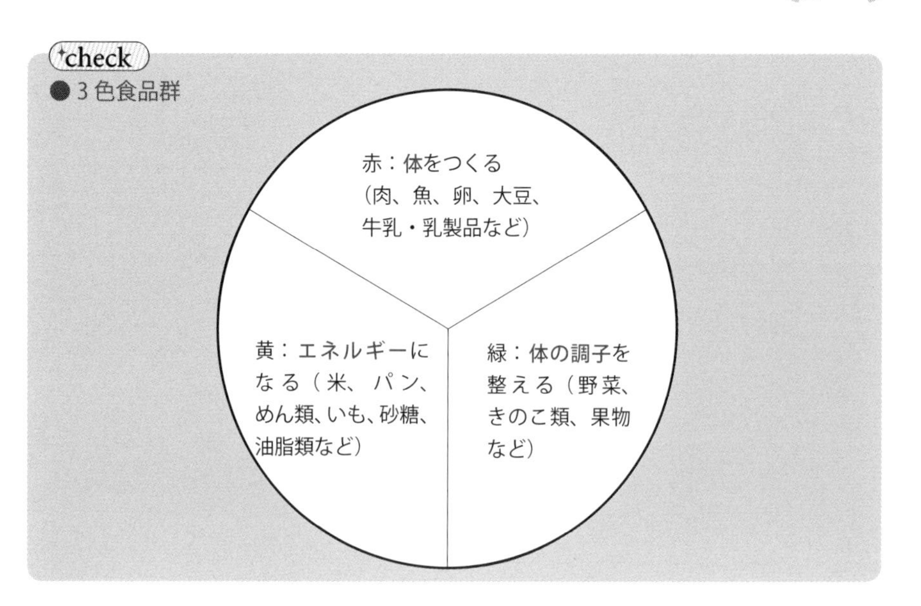

No. 8 **乳児期の発達と離乳食に関する次の記述のうち、最も妥当なのはどれか。**

1　肉類を与えてよいのは生後 5、6 か月頃からである。

2　舌が前後だけでなく上下・左右に動くようになるのは、生後 7、8 か月頃である。

3　生後 9 ～ 11 か月に与える離乳食は歯ぐきでつぶせる固さに調理する。

4　生後 9 ～ 11 か月以降は大人の食事の取り分けが可能であり、大人と同じものを与えてよい。

5　生後 7、8 か月以降からは手づかみ食べをさせ、一口量を覚えさせる。

解説

1 ×　乳児は消化吸収機能が未熟であり、食物アレルギー予防のためにも生後 7、8 か月頃に鶏のささみから始める。

2 ×　舌が前後・上下・左右に動くのは離乳後期の生後 9 ～ 11 か月である。生後 7、8 か月ではまだ左右には動かせない。

3 ○　記述のとおり。生後 5、6 か月ではなめらかにすりつぶした状態、生後 7、8 か月では舌でつぶせる固さ、生後 12 ～ 18 か月では歯ぐきで噛める固さに調理する。

4 ×　大人の味付けでは濃すぎる。調理途中で取り分けるなどして、薄味にする。乳幼児の消化吸収機能は大人に比べて未熟なため、脂肪は少なくし、軟らかく調理する必要がある。

5 ×　個人差はあるが、離乳後期または離乳完了期頃からは手づかみ食べをさせる。手づかみ食べは自分で食べるという自立への第一歩である。食べこぼすことも多々あるが、練習ととらえ、叱らずに見守る必要がある。

（答　3）

No. 9 幼児期の発育と食生活に関する次の記述のうち、最も妥当なのはどれか。

1　4歳になると体重は出生時の約2倍、身長は約4倍となる。

2　乳児期に比べ、幼児期にはエネルギー消費量は減少する。

3　幼児期の弁当は、主食を1/2、主菜を1/3、副菜を1/6を目安に栄養バランスを考えて作る。

4　幼児期は生活習慣の基礎が確立する時期なので、生活リズムや食事リズムを整える必要がある。

5　「平成27年度乳幼児栄養調査」によると、乳幼児の食事で困っていることに「遊び食べをする」が挙げられているが、「遊び食べをする」は4歳代をピークに5歳代になると減少していく。

解説

1×　4歳になると体重は出生時の約5倍、身長は約2倍となる。

2×　乳児期に比べ、幼児期では歩いたり走ったりと運動量が増えるのでエネルギー消費量は増加する。

3×　幼児期の弁当の栄養バランスは、主食が1/2、主菜を1/6、副菜を1/3とするのがよい。主菜よりも副菜を多くする。

4○　子どもの生活は親の生活の乱れによる影響を大きく受ける。特に、睡眠不足は朝食の欠食につながりやすく、生活や食事リズムも乱れるため、早寝早起きを心がける。

5×　乳幼児の食事で困っていることで最も多いのは「遊び食べをする」で、次いで「食べるのに時間がかかる」、「偏食する」が多く挙げられる。「遊び食べをする」は2歳代をピークに3歳代になると減少していく。

（答　4）

No. 10 「第４次食育推進基本計画」に関する次の記述のうち、最も妥当なのはどれか。

1　持続可能な食を支える食育の推進では、５つの「わ」を支える食育を推進する。

2　食育推進の目標の一つに「朝食又は夕食を家族と一緒に食べる「孤食」の回数を増やす」がある。

3　食育の総合的な促進に関する事項には、「家庭」と「保育所、学校等」における食育の推進についてのみ記載されている。

4　食育がより多くの国民による主体的な運動になるようICT（情報通信技術）や社会のデジタル化の進展を踏まえ、デジタルツールやインターネットも積極的に活用する。

5　食育には、持続可能な開発目標（SDGs）からの視点は必要ない。

解説

1×　食と環境の調和：環境の環（わ）、農林水産業や農山漁村を支える多様な主体とのつながりの深化：人の輪（わ）、日本の伝統的な和食文化の保護・継承：和食文化の和（わ）の３つの「わ」を支える食育を推進するとされている。

2×　孤食ではなく、共食である。16の目標が設定されており、それぞれについて５年間で目標とする具体的な値についても記載されている。目標には、この他に「朝食を欠食する国民を減らす」等がある。

3×　食育の総合的な促進に関する事項には、「家庭」、「学校」に加え、「地域」における食育の推進について記載されている。そのほか、「生産者と消費者との交流の促進、環境と調和のとれた農林漁業の活性化等」や「食品の安全性、栄養その他の食生活に関する調査、研究、情報の提供及び国際交流の推進」がある。

4○　マスコミやインターネット、SNS（ソーシャルネットワークサービス：登録された利用者同士が交流できるWebサイトの会員制サービス）等デジタル化への対応により、若い世代に対して効果的に情報を提供する。

5×　食育の取り組みは、SDGsと深く関わりがある。その考え方を踏まえ、相互に連携する視点を持って推進する必要がある。

（答　4）

No. 11 「授乳・離乳の支援ガイド（2019年改定版）」（厚生労働省）の「離乳の支援」に関する次の記述のうち、最も妥当なのはどれか。

1　離乳の開始にあたり、離乳開始の目安となる乳児の様子には哺乳反射の減弱が挙げられる。

2　離乳は、果汁を1日1さじ与えることから始める。

3　はちみつは栄養が豊富であるため、離乳の開始と同時に与えてよい。

4　卵は加熱した卵白から始めて、それから全卵を与えるとよい。

5　離乳開始1か月頃には、栄養は離乳食からとることができるようになるため、乳汁による栄養は制限する必要がある。

解説

1○　哺乳反射が薄れ、スプーンを口に入れても舌で押し返されることの少なくなる頃が離乳の開始として適当な時期である。その他、首のすわりがしっかりして寝返りができ、5秒以上座れる、食物に興味を示すようになるなど、月齢だけでなく、乳児の様子をみて、離乳食を開始する。

2×　果汁ではなく、なめらかなつぶしがゆから始める。果汁は虫歯の原因にもなりやすく、必ずしも果汁である必要はない。

3×　はちみつは乳児ボツリヌス症予防のため、満1歳まで与えない。

4×　卵は、固くゆでた卵黄から開始する。離乳が進むにつれ、卵黄から全卵に進めていく。

5×　離乳初期は食物に慣れることが第一の目的である。この時期は、まだ乳汁からの栄養補給が大事なので、母乳または育児ミルクは子どもの欲するままに与える。

（答　1）

No. 12 「平成27年度乳幼児栄養調査」に関する次の記述のうち、最も妥当なのはどれか。

1 母乳育児に関する出産施設での支援状況は10年前に比べてやや減少傾向であった。

2 授乳について何らか困ったことがある者の割合は、母乳栄養・混合栄養・人工栄養のうち、母乳栄養が最も高かった。

3 授乳期の栄養方法は10年前に比べて、人工栄養の割合が増加した。

4 朝食を必ず食べる子どもの割合は95%を超えていた。

5 離乳の開始時期は「6か月」の割合が最も高かった。

解説

1× 母乳育児に関する出産施設での支援状況は10年前に比べて増加傾向であった。「出産後30分以内の母乳を飲ませた」、「出産直後から母子同室だった」等の支援がなされている。

2× 授乳について何らか困ったことがある者の割合は、母乳栄養・混合栄養・人工栄養のうち、混合栄養が88.2%と最も高く、困ったことの内容としては「母乳が足りているかどうかわからない」、「母乳が不足気味」、「授乳が負担、大変」などが挙げられた。

3× 10年前に比べて増加したのは、母乳栄養である。生後1か月で42.4%から51.3%に増加した。

4× 朝食を必ず食べる子どもの割合は93.3%であった。

5○ 記述のとおり。10年前の調査では離乳の開始は46.8%の割合で5か月がピークであったが、今回の調査では44.9%と6か月がピークとなった。

(答 5)

No. 13 人工乳及び調製乳に関する記述である。最も妥当でないのはどれか。

1 アミノ酸混合乳は、重篤なアレルギー児用の人工乳である。

2 ペプチドミルクはたんぱく質を分子量の小さいペプチドに酵素分解したものである。

3 乳児用調製粉乳にはビタミンKは添加されていないため、母乳から摂る必要がある。

4 乳児用調製粉乳のたんぱく質、脂質、炭水化物の量は母乳とほぼ等しい。

5 フォローアップミルクは生後9か月から使用開始できる。

解説

1○ アミノ酸混合乳はアレルギー児用ミルクの一つであり、たんぱく質をアミノ酸にすでに分解したミルクである。

2○ ミルクアレルギーは発症していないが、アレルギーを持つ家族や兄弟姉妹がいる等、ミルクからのたんぱく質摂取を控えたい乳児に適したミルクがペプチドミルクである。

3× 乳児用調製粉乳には乳児の発育に必要なビタミンKやラクトフェリンが添加されている。

4○ 乳児用調製粉乳のエネルギー量、たんぱく質、脂質、炭水化物の量は母乳と差がないように調製されている。母乳と比べ、乳児用調製粉乳には、カルシウム、鉄分、ビタミンKなどが多く含まれている。

5○ フォローアップミルクは離乳の補助としての役割があり、栄養が足りない場合にはこれにより補うことができる。乳児用調製粉乳と比べて、脂質が少なく、乳清たんぱく質、鉄分、ビタミン等は多く含まれる。

（答 3）

No. 14 **保育所における食育や支援に関する次の記述のうち、最も妥当なのはどれか。**

1　保育所保育指針には、「子どもが自らの感覚や体験を通して、自然の恵みとしての食材や食の循環・環境への意識、調理する人への感謝の気持ちが育つように、子どもと調理員等との関わりや、畑・園庭など食に関わる保育環境に配慮する」ように記載がある。

2　「生涯を通じた心身の健康を支える食育の推進」は第4次食育推進基本計画の重点事項の一つで、保育所においても重要である。

3　保育所における食育の目標である理想の子ども像の一つに「嫌いなものを減らせる子ども」がある。

4　食育は栄養士が主に行うため、保育士が食育を行う必要はない。

5　保育所における地域の子育て家庭への支援には、保護者向けの生活習慣病指導も含まれる。

解説

1×　食に関わる保育環境の例として挙げられているのは「畑・園庭」ではなく、「調理室」である。

2○　国民が生涯にわたって健全な心身を培い、豊かな人間性を育むために、妊産婦や乳幼児から高齢者に至るまでの多様な暮らしに対応し、家庭、学校・保育所等、地域の各段階において途切れることなく、生涯を通じた心身の健康を支える食育を推進する。

3×　「食べたいもの、好きなものが増える子ども」である。理想の子ども像はこの他に4つあり、「お腹がすくリズムのもてる子ども」、「食事づくり、準備にかかわる子ども」等がある。

4×　栄養士が配置されている場合には、栄養士が専門性をいかした対応を図ることが求められる。栄養士が中心となって、保育所にいる全職員が協力して食育を進めることが望ましい。

5×　保育所における地域の子育て家庭への支援には「食を通した保育所機能の開放」や「食に関する相談や援助」等がある。

（答　2）

No. 15 **「家庭でできる食中毒予防の6つのポイント」（厚生労働省）に関する次の記述のうち、最も妥当なのはどれか。**

1　冷蔵庫内の温度は15℃以下を目安に維持するとよい。

2　生の肉と惣菜を購入した際には、それぞれ分けてビニール袋に包む必要はない。

3　残った料理は早く冷めるよう、浅い容器に小分けに分けてから保存する。

4　冷凍食品でなければ、買い物後は時間を気にせず、ゆっくり帰っても構わない。

5　冷凍食品は冷蔵庫で解凍するよりは室温で調理台においたまま解凍する方が望ましい。

解説

1×　冷蔵庫内の温度は10℃以下、冷凍庫内の温度は－15℃以下に保つことが望ましい。

2×　生の肉は持ち帰る際に肉汁等の水分がもれる場合があるので、購入後には惣菜や野菜など生で食べる可能性があるものに肉汁がかからないよう、肉をビニール袋で個別に包んでおくとよい。

3○　残った料理は小分けにしてすばやく粗熱をとり、食中毒菌が混入・増殖しないように、かつ冷蔵庫の温度が上がらないように配慮する。

4×　冷蔵の食品を持ったまま寄り道をすると、その間に食中毒菌が増える恐れがある。買い物後はまっすぐ自宅に帰り、冷蔵・冷凍食品はすぐに冷蔵庫や冷凍庫に入れるようにする。

5×　冷凍食品を室温で解凍すると食中毒菌が増える場合があるので、解凍には冷蔵庫や電子レンジを用いるとよい。

（答　3）

No.16 妊娠期の食生活に関する次の記述のうち、最も妥当なのはどれか。

1 「日本人の食事摂取基準 2020 年版」によると、妊娠後期の推定エネルギー必要量は身体活動レベルにかかわらず 250 kcal/ 日を付加する。

2 妊娠期には胎児の先天異常である神経管閉鎖障害発症のリスクを減らすために葉酸が必要になるので、妊娠 3 か月以降に積極的に摂取する。

3 「妊娠前からはじめる妊産婦のための食生活指針」には、からだづくりの基礎となる「主食」は適量をと記載されている。

4 妊娠中はリステリアに感染しやすくなるため、ナチュラルチーズや生ハムは避ける。

5 魚は良質なタンパク質や飽和脂肪酸を多く含むため、妊娠期のバランスに欠かせない。

解説

1 × 妊娠初期、中期、後期で推定エネルギー必要量の付加量は異なり、非妊娠期の推定エネルギー必要量にそれぞれ、50、250、450 kcal/ 日を付加する。

2 × 葉酸は妊娠前から日常的に十分に摂取しておくことが望まれる。神経管閉鎖障害を予防するためには、通常の食事に加えて、サプリメントや食品中に強化される葉酸として 400μg/ 日摂取することが推奨されている。葉酸が多く含まれる食品にはほうれん草やアボカド、アスパラガス、いちご等がある。

3 × からだづくりの基礎となるのは肉や魚などタンパク質が多く含まれる主菜である。主食については、「『主食』を中心に、エネルギーをしっかりと」と記載されている。

4 ○ リステリアによる感染は、健康な成人では多くのリステリアを摂取しなければ発症しないが、妊婦や高齢者は免疫が低下しているため注意が必要である。日本では発症例は少ないが、乳製品、食肉加工品や魚介類加工品などから、リステリアが検出されており、リスクを下げるためにもこれらの食品は避ける。

5 × 魚にはドコサヘキサエン酸やエイコサペンタエン酸等の多価不飽和脂肪酸が多く含まれている。飽和脂肪酸はバター等に多く含まれている。

（答 4）

No. 17 食物アレルギーに関する次の記述のうち、最も妥当なのはどれか。

1 大豆アレルギーの場合でも、大豆油は基本的に使用してよい。

2 鶏卵アレルギーの主原因は卵黄に含まれるアレルゲンである。

3 「保育所におけるアレルギー対応ガイドライン」では、除去していた食品を解除する際には、保護者からの口頭での申し出でよいとされている。

4 牛乳アレルギーの場合、豆乳でもアレルギー症状がみられるので、除去する必要がある。

5 アレルギーは原因物質を吸い込むことや触れることでは発症の原因とはならず、食べることにより起こる。

解説

1○ 大豆油は精製されているので、大豆アレルギーの場合でも料理に使用できる。

2× 鶏卵アレルギーの主原因は卵白に含まれるオボアルブミンやオボムコイドである。

3× 解除指示には医師の診断書等の提出は必要ないが、口頭のやりとりのみで済まさず、保護者と保育所の間で所定の書類を作成して対応することが必要とされている。

4× 豆乳は大豆から作られ、牛乳の代替食品として用いることができるが、牛乳よりカルシウムが少ない等、成分の違いに留意して使用する。

5× ごく少量の原因物質に触れるだけでもアレルギー症状を起こす場合が稀にあり、原因物質を〝食べる〟だけでなく、〝吸い込む〟ことや〝触れる〟ことも発症の原因となるため、個々の子どもに応じた配慮が必要である。

（答 1）

No. 18 「令和元年国民健康・栄養調査」の子どもの食生活に関する次の記述のうち、最も妥当なのはどれか。

1　1～6歳の脂肪エネルギー比率（%）（平均値）は男女とも30～40%の範囲である。

2　1～6歳の炭水化物エネルギー比率（%）（平均値）は、男女とも55%を超えている。

3　1～6歳の食塩相当量（g/日）（平均値）は、3g以下である。

4　1～6歳のカルシウムの摂取量は過剰傾向にある。

5　1～6歳の魚介類の摂取量は50gである。

解説

1×　1～6歳の脂肪エネルギー比率（%）（平均値）は男女とも20～30%の範囲である。

2○　「日本人の食事摂取基準2020年版」では全年齢の炭水化物の目標量は50～65%エネルギーであり、範囲内に入っている。

3×　1～6歳の食塩相当量（g/日）（平均値）は、5g程度である。

4×　カルシウムの摂取状況は400mg程度と不足傾向にある。

5×　魚介類の摂取量は30g程度である。50g以上摂取しているのは20歳以上である。

（答　2）

Key word　食中毒予防の3原則

「**つけない**（清潔）、**ふやさない**（迅速）、**やっつける**（加熱）」

- **つけない**（清潔）→調理前の手洗いや使用する調理器具の洗浄をしっかり行う。必要があれば煮沸消毒する。
- **ふやさない**（迅速）→冷凍・冷蔵の低温保存により菌の増殖が抑えられるが、死滅しない菌もいるので過信せず、早目に調理し、調理後はすぐに食べる。
- **やっつける**（加熱）→食品の加熱の際には、中心の温度が75℃で1分以上加熱する。

memo

第2部

論 作 文

論作文の基本

論文や作文は、どちらも自分の考え（意見）を読み手に伝えるために書くものです。主な違いは、作文は自分の経験などから考えや感想を述べるのに対し、論文は自分の判断（意見）を、根拠を挙げて論理的に述べるという点にあります。言い換えれば、作文は主観的な文章、論文は客観的な文章ともいえます。

どちらも、自分の考え（意見）、主張したいことなどを、読み手にわかりやすく、はっきりと伝わるように書きます。

論作文の目的は「質問に答えること」

論文は、「○○に対してどう考える？」と聞かれて、「△△だから、こう考える」と答えることに似ています。単に答えを出すだけではなく、読み手を納得させるだけの理由や根拠を示します。また、答えるのに必要な知識も問われます。

作文は、身近なニュースや心に残ったことなどの課題について「あなたはどう思う？」と質問されていると考えてよいでしょう。

このように、論作文試験では、文章に表れる書き手の人となりを見られます。学力試験や面接だけでは見えてこない、その人の内面的資質（常識力、判断力、思考力、表現力など）が評価されます。

よい印象を与える論作文のポイント

よい印象を与えるためには次のようなポイントがあります。

- **言葉が明快で、前向きな姿勢ややる気が感じられること**
- **課題の意図に沿った文章で、思考が偏っておらず、論理に矛盾がないこと**
- **思考が幼稚ではなく、視野が広く筋道が通っていること**
- **文字がていねいで、誤字・脱字などがないこと**
- **正しい文法や表現、言葉が使えていること**
- **原稿用紙の使い方などに大きな間違いがないこと**
- **文章の流れが自然であること**

保育士採用試験の出題テーマは主に3分野

過去の保育士採用試験で出された論作文の課題をみると、大きく次の3つの分野に分けることができます。

①保育士の専門性に関するテーマ

②自治体職員として働くことに関するテーマ

③社会問題や自分自身に関するテーマ

保育士の採用という性質上、出題される割合が最も高いのは①の「保育士の専門性に関するテーマ」です。その中でもこれまで「保育士の立場で論じる」ものや、「求められる役割」などについて、多く出題されています。

各自治体の過去の出題テーマを調べ、傾向をつかむとともに、どの分野から出題されても対応できるように書き方のポイントをおさえておきましょう。

また、現状に問題があるテーマでもマイナス要素を指摘するだけでなく、それに対する改善案やアイデアなどを述べ、前向きな姿勢を表現することが大切です。

1 保育士の専門性に関するテーマ

【保育士】という職業に関すること

◎保育士として必要な(求められる)能力

◎今後求められる保育士像　など

【保育所】に関すること

◎地域社会との関わり方・その役割　◎求められる環境・設備　など

【その他】

◎子どもたちが安心・安全に過ごすためには　など

2 自治体職員として働くことに関するテーマ

◎理想の職員とは　◎公務員と民間企業の違い

◎職員としてできる支援　など

3 社会問題や自分自身に関するテーマ

◎最近のニュースで心を動かされたこと　◎時事問題

◎学校・ボランティア活動・サークルなどの経験から得たもの　など

論作文の構成

限られた時間と短い分量のなかで自分の考えを述べるためには、書き始める前にまず出題意図を吟味し、何を書き結論はどうするかなど、文章の組み立てを考えることが必要です。組み立てのパターンはいくつかありますが、基本となるのは①「序論・本論・結論」の３部構成、②「起承転結」の４部構成です。

基本構成

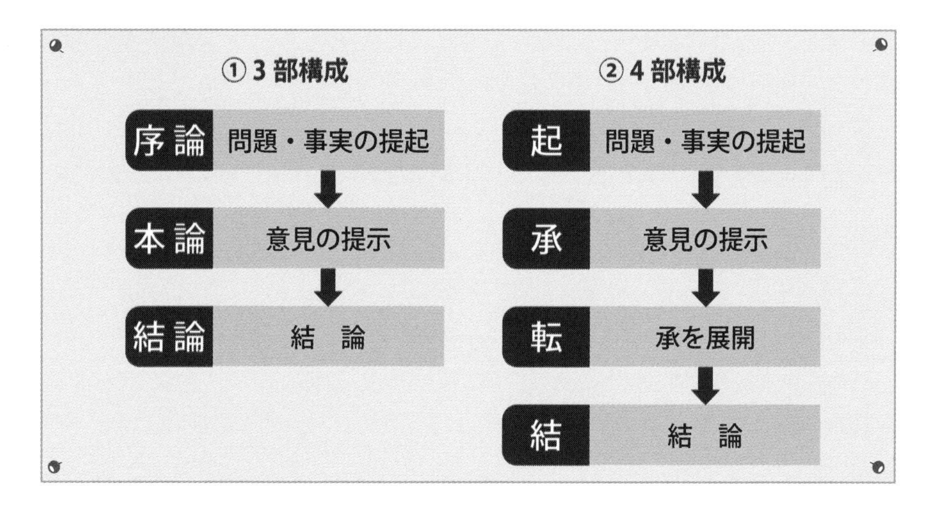

導入部は、問題提起から入るほかに、結論から入る書き方もあります。結論から入ると、この論作文で言いたいことがはっきりしますし、万が一、時間切れになり、説明が不十分に終わっても、最低限、どんな考えなのかということは伝わります。

時間の制限はありますが、構成が決まったら、問題用紙の余白などにそれぞれの部分でどのようなことを書くかをメモしておきましょう。書き進めるうちに考えたことを忘れたり、論点がずれたりすることを防ぐことができます。

3部構成が書きやすい

文字数の少ない保育士採用試験では①の3部構成が書きやすいでしょう。

また、基本の3部構成とは少し異なりますが、初心者でもすぐにマスターできるのは次の順で書く方法です。

見た！＝事実

児童虐待のニュースを見た、新聞で少子高齢化の記事を読んだ、近所の子どもが不審者に声をかけられた、など客観的な事実を書きます。

書き手と読み手の間に共通の認識が生まれ、論文の導入になります。

そして

感じた！＝問題点

「見た」ことから生じた心の動きを書きます。例えば、食事を与えられず衰弱死した子どものニュースなどを見て、「かわいそうに！　役所や周りの人は気づいてあげられなかったのだろうか」というように、疑問や怒りなどの感情を表現します。

問題提起の部分にあたるため、見たことについてこう感じた、こういう問題点が浮かび上がった、原因・理由は、というように訴え、読み手の注意を引きます。

こうしたい！＝解決策

最後に、具体的な解決策を提示します。

前段の問題点を受け、「私は○○と考える」「行政がもっと○○すべきではないか」など、解決策や新たな提言、アイデアを具体的に述べます。

ただし、あまりにも抽象的であったり、実現不可能なアイデアは、評価されないばかりか、無責任ともみなされかねません。現実的・実践的で、問題解決に役立つ内容であることが大切です。

書き方の基本ルール

論作文試験では、文章能力も大きな採点ポイントになります。次のような基本ルールを覚えておきましょう。

1 段落を分け、制限文字数の80%以上を目指す

字数不足は「仕事が遅い」という印象につながるばかりか、減点対象にもなります。最低でも**制限文字数の80%以上**は書きましょう。また、最初から最後まで一度の改行もない文章は、採点者も読む気がしません。800字程度なら最低でも3段落が目安です。段落ごとに改行しましょう。

2 原稿用紙に正しく書く

原稿用紙の使い方を間違えると、減点対象となることもあります。正しいルールを確認しましょう。

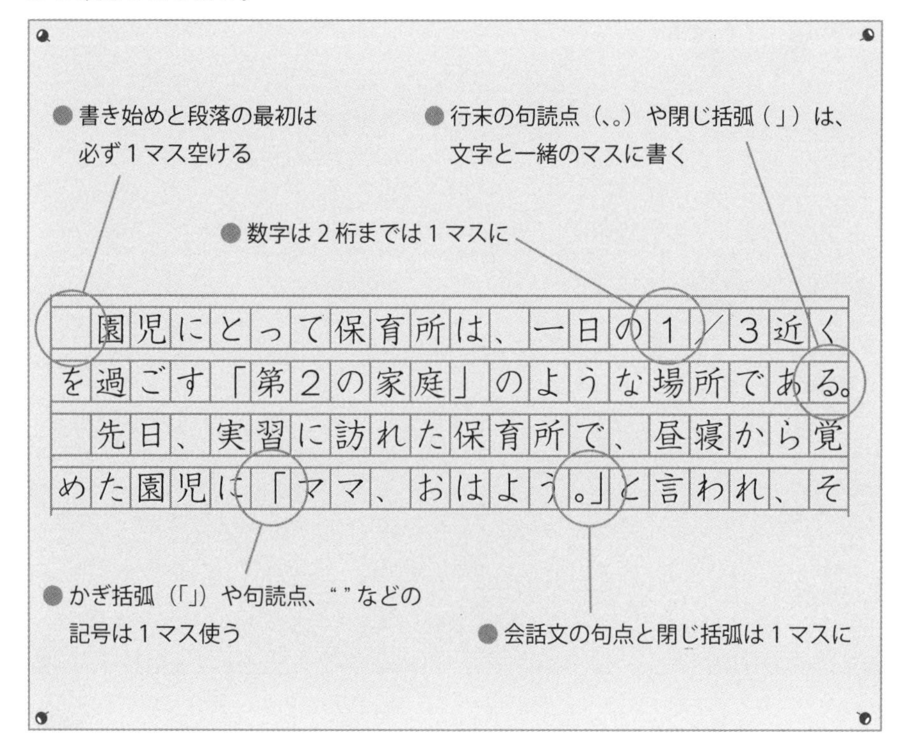

3 誤字・脱字に注意

誤字・脱字は、減点の対象となることもあります。「過程」と「課程」などの同音異義語の使い分けには特に気をつけましょう。どうしても漢字が思い出せない、あるいは自信がない場合は、他の言葉に言い換えるとよいでしょう。

4 書き言葉を使う

「だけど」「みたいな」などの話し言葉（口語）や略語、流行語などは使わず、書き言葉（文章語）で書きます。また、「見れない」などの「らぬき言葉」も避けましょう。保育士採用試験においては、「子供」は「子ども」と表記し、「親→保護者」「お年寄り→高齢者」などの言い換えも覚えておくとよいでしょう。

5 「である」調で書く

文体は「である」調か「です・ます」調のどちらかに統一します。論文の場合、「である」調が一般的ですが、作文試験で自分自身について述べるような場合は「です・ます」調でもよいでしょう。

6 「５Ｗ１Ｈ」を明確に

わかりやすい文章の基本は、「５Ｗ１Ｈ（いつ・どこで・誰が・何を・なぜ・どのように）」がはっきりしていることです。必要な情報を的確に盛り込みましょう。

7 文章は短く、簡潔に

一つの文が長いと読みづらいだけでなく、何を言いたいのかもわかりにくくなります。主語と述語の関係が見える程度の長さ（40字程度）を心がけ、文章を不必要に飾らないようにします。また、必ず主語と述語が対応していることを確認しながら書き進めましょう。

8 接続詞の「が」を多用しない

本来、「が」という言葉は、前後の文章が相反する内容のときに用いる接続詞です。もし、「が」を「しかし」に置き換えてみてつながりがおかしいときは、いったん文章を切るか、別の言葉に言い換えましょう。

前のページでは論作文を書く上で気をつけたい、全体的なことを確認しました。ここでは、もう少し、実際的にみていきましょう。

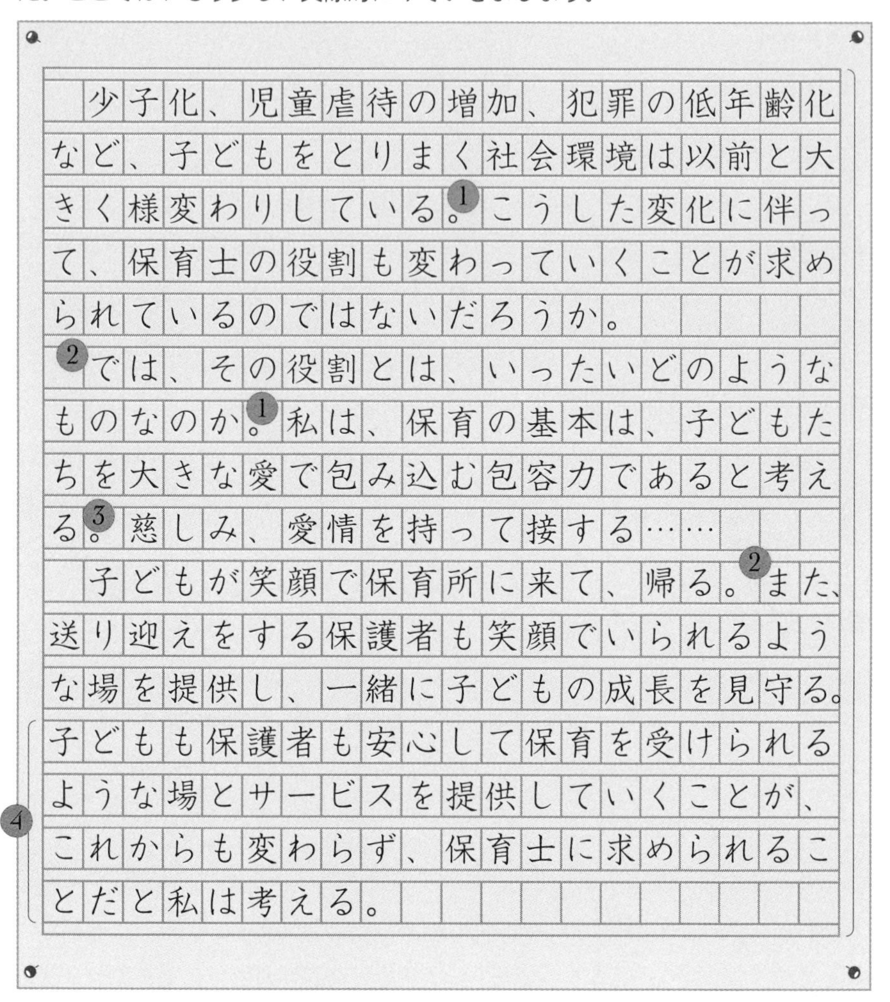

少子化、児童虐待の増加、犯罪の低年齢化など、子どもをとりまく社会環境は以前と大きく様変わりしている。こうした変化に伴って、保育士の役割も変わっていくことが求められているのではないだろうか。

では、その役割とは、いったいどのようなものなのか。私は、保育の基本は、子どもたちを大きな愛で包み込む包容力であると考える。慈しみ、愛情を持って接する……

子どもが笑顔で保育所に来て、帰る。また、送り迎えをする保護者も笑顔でいられるような場を提供し、一緒に子どもの成長を見守る。子どもも保護者も安心して保育を受けられるような場とサービスを提供していくことが、これからも変わらず、保育士に求められることだと私は考える。

1 文章はリズムよく

「～である」ばかりで同じ文末が続くと単調になりがちです。変化をつけるために、「～いる」、「～ない」、「～か」などと文末を変えることで、文章にリズムが生まれます。また、同じ言葉を繰り返さず、表現を変えることも有効です。

2 接続詞を適切に使う

前後の文章の流れを考えて、適切な接続詞を使いましょう。ただし、使いすぎは禁物です。「そして、〜。また、〜。さらに、〜。」など、多用すると文章がくどくなるので使いすぎには気をつけましょう。

3 事実と意見を書き分ける

事実と意見が混在した文章は、読み手を混乱させるおそれがあるため、はっきりわかるように書き分ける必要があります。また、「なぜ自分はそう考えるのか」という意見の根拠となる事例やデータを加えると、説得力が増します。試験に出そうなテーマについては、日頃から情報のアンテナを張り巡らせておきましょう。

4 意見・結論ははっきりと

事実や問題点を並べるだけではなく、それに対する自分の意見を必ず書きます。その際、結論ははっきりと書くようにしましょう。なお、あまりに個性的な意見は印象に残るかもしれませんが、試験にはふさわしくないため、注意が必要です。

〈文末書き換えの例〉
＊「思う」 → 「考える」「だろう」「ではないだろうか」など
＊「したい」 → 「していきたい（と考える）」「努めたい」など
＊「大事だ」 → 「大切である」「重要である」「欠かせない」など

最後にチェック！

書き終えたら、次の点を必ず見直しましょう。

- 誤字・脱字はないか
- 文法的な間違いはないか
- 同じ言葉や表現を繰り返し使っていないか
- テーマに沿った内容になっているか
- 論文としての形式は整っているか
- 結論がはっきりとして、わかりやすいか

よくでる出題テーマと論作文例

テーマ1 保育士の専門性について

例題1 少子化社会における保育所の役割について、あなたの考えを述べなさい。

（60分・1000字程度）

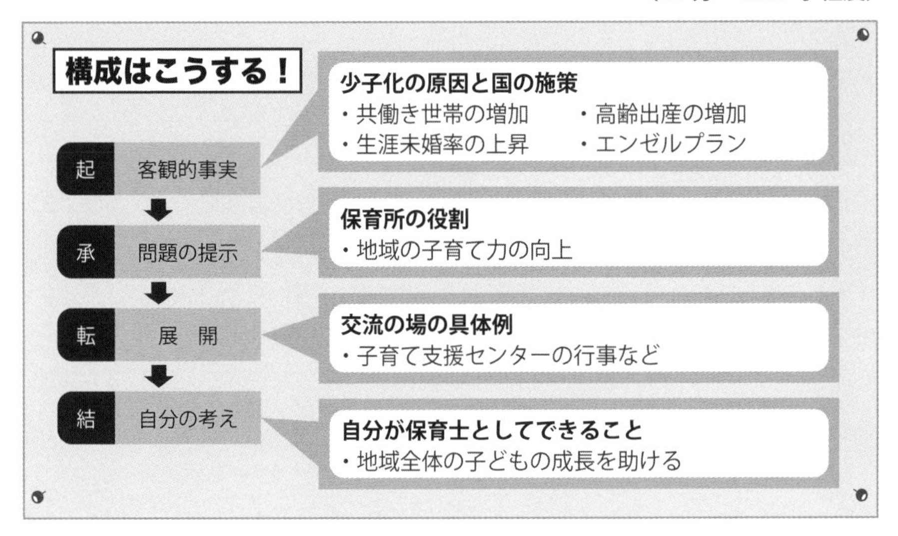

論作文例

起

わが国は、少子化社会と呼ばれて久しい。1990年代より出生率が下がり続け、わずかに上昇した期間もあったものの少子化に変わりはない。理由として多くのことが挙げられる。晩婚化による**高齢出産**、生涯未婚率の上昇、女性の社会進出による**共働き世帯**の増加、教育費の高さ。それらが相互に作用しながら社会全体が少子化へと進んできた。対して国は、エンゼルプランから最近ではこども未来戦略に至るまで、様々な対策を打ち出し、子育ての環境を整備してきた。

承

こうした国全体の大きな計画がある中で、地域の保育の中枢である保育所がやるべきことは、地域の子育て力を向上させることだと思う。現代は核家族が増え、母親の育児の負担が大きくなっている。さらに、子育てを取り巻く環境の今と昔は大きく変わり、子育てについて近くでアドバイスしてくれる親や兄弟がいない人も多い。母と子の二人だけで過ごす時間が長いので、母親が子育ての悩みを一人だけで抱え込んでしまう。母親がストレスを感じながら子育てをすることは、子どもにとって良くない。また、第二子・第三子の出産・育児にも前向きになれない要因となるだろう。そこで保育所が保護者同士のコミュニケーションの場を提供するのが良いのではないだろうか。

近年は保育所に通っていない子どもやその保護者同士の交流の場として、子育て支援センターを併設する保育所が増えてきた。私の家の近所にある支援センターでは市の保健センターから保健師を招いて育児についての相談・指導の場を設けたり、園庭を開放したり、子ども向けのイベントを月に数回行うなどしている。こういった活動は子育て中の母親にとって、他の保護者と知り合う良い機会になるし気分転換にもなるだろう。子どもにとっても友達との人間関係を学ぶ場にもなるはずだ。保育所に通う子どもと保護者に対しては、日常の送り迎えや行事の中でできるプラスアルファを意識して少しでもコミュニケーションの場を提供できるよう私も努めたい。

少子化のこの時代、大切なことは社会全体で子どもを育てていく姿勢だと私は思う。人と人とのつながりが薄い現代だからこそ、保育所が中心となって地域の子育てをバックアップすることが望ましい。これからは私も保育士として、保護者と密にコミュニケーションをとりながら、保育所に通う子どもだけでなく地域全体の子どもの成長を手助けしたいと考えている。

（987字）

キーワードチェック

高齢出産

女性が35歳以上で初めて子どもを産むこと。女性の社会進出や晩婚化に伴い増加している。例えば、母親の年齢が40～44歳の出生数は、1995（平成7）年には12,472人だったが、2023（令和5）年には46,019人と大幅に増加している（厚生労働省「令和4年人口動態統計（確定数）の概況」）。

共働き世帯

夫婦の両方が働く世帯のこと。「令和5年版厚生労働白書」によれば、1980（昭和55）年は、共働き世帯が614万、専業主婦世帯は1,114万と、片働きが主流であったが、1990年代半ばに数値が逆転し、2022（令和4）年には共働き世帯が1,262万、専業主婦世帯は539万となっている。

例題2　子どものSOSにいち早く気づくためには保育士としてどうしたらよいか。
（60分・1000字程度）

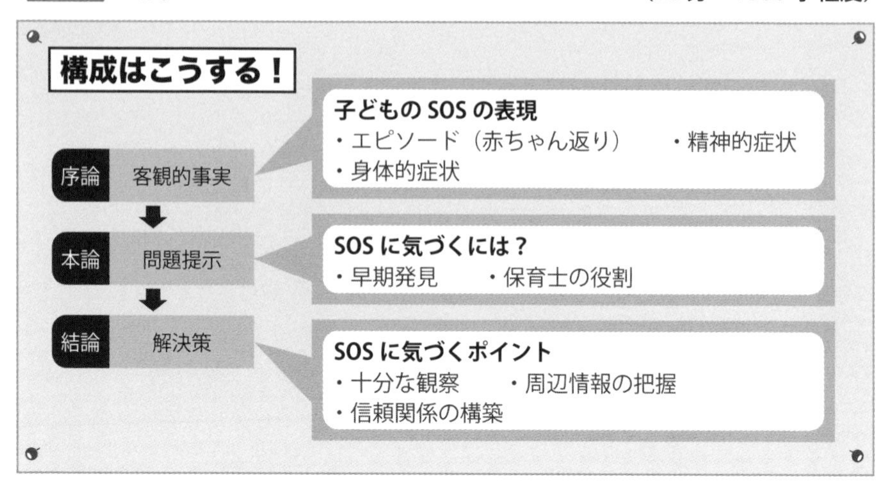

論作文例

序

私の姪は5歳の頃、妹が生まれ、いわゆる「**赤ちゃん返り**」のような現象をみせたことがある。まるで、妹の出現によって「自分は見捨てられてしまうのではないか」と感じているかのように、言葉遣いや行動が幼稚になったり、ぐずったりするようになったのである。これは一種のSOSのサインといえるだろう。幸い、姪の場合は両親が早めに気づき、頻繁な言葉がけやできる限り妹よりも優先して対応するなど、愛情をしっかり示したことが功を奏し、半年ほどで治まった。しかし、もし周囲がこうしたサインに気づかなければ、子どもの心は傷つき、**自己肯定感**が持てないまま大人になってしまうおそれもある。

本

幼児期の子どもは言葉が豊かでない分、自分の不安や寂しさ、恐怖などの感情を無意識の行動などで表現することがある。指しゃぶりや爪嚙み、おねしょやおもらし、かんしゃく、暴力的な行為などがみられたら、心に大きなストレスを感じている可能性を疑わなくてはいけないだろう。また、心の不調は**チック症**や、下痢、発熱、食欲不振といった身体的症状として現れることもある。このことから、保育士は、子どもが発するSOSをできるだけ早期に発見して適切に対応し、心身ともに健やかな成長に導かなければならない。では、どうすれば子どものSOSのサインにいち早く気づくことができるのか。

私は、そのために何より重要なのは、子どもの顔色や表情、動作、話す内容、保護者や友だち、保育士への接し方など、子どもの様子が普段と変わらないかを毎日よく観察することだと考える。また、小さな変化を見逃さないためには、子どもの家庭環境などの周辺情報を常に把握するよう努めるとともに、子どもとの信頼関係を築いておくことも必要である。発達過程の自然な現象として今までと違った様子や行動が生じる場合もあるだろうが、いつもより甘えてくる、喜怒哀楽の表現が乏しくなった、友だちとケンカばかりするといったこれまでと違う行動の裏には、何らかの原因が隠されていることが多い。私は、子どもの心の叫びや訴えにしっかりと耳を傾け、子どもとしっかり向き合っていける保育士になりたいと思う。

（887字）

キーワードチェック

赤ちゃん返り

弟や妹の誕生がきっかけで、哺乳瓶でミルクを飲みたがったり、おもらしをしたりするなど、赤ちゃんに逆戻りしたような行動を起こすこと。3～5歳ぐらいに多くみられ、「自分にもっとかまってほしい」というサインの表れであるとされる。

自己肯定感

自分で自分の価値を認め、ありのままの自分でいいと思えること。自己肯定感が低いと、人との関係で萎縮したり、大きなストレスを感じるなど、様々な心理的トラブルにつながりやすいとされている。

チック症

頻繁なまばたき、首振り、肩すくめ、顔しかめなどを生じる神経疾患。一般に、乳幼児期からの心と体の成長に伴ってみられ、徐々に治ることが多い。原因は定かではないが、脳の一部の状態と心の問題とが絡み合って発症するとの考えもある。

こんな問題も出るかも !?

- 保護者との連携で必要だと思うことについて
- 地域社会における保育所の役割とは
- 保育士として必要な能力とは
- あなたの考える「理想の保育」とは
- 子どもの成長に必要な環境について

例題3　子どもが健やかに育つために、保護者と保育士のそれぞれが果たすべき役割について述べるとともに、保護者との信頼関係を築くために、どのようなことを心がけて取り組んでいきたいか、考えを述べなさい。

（90分・1200字程度）

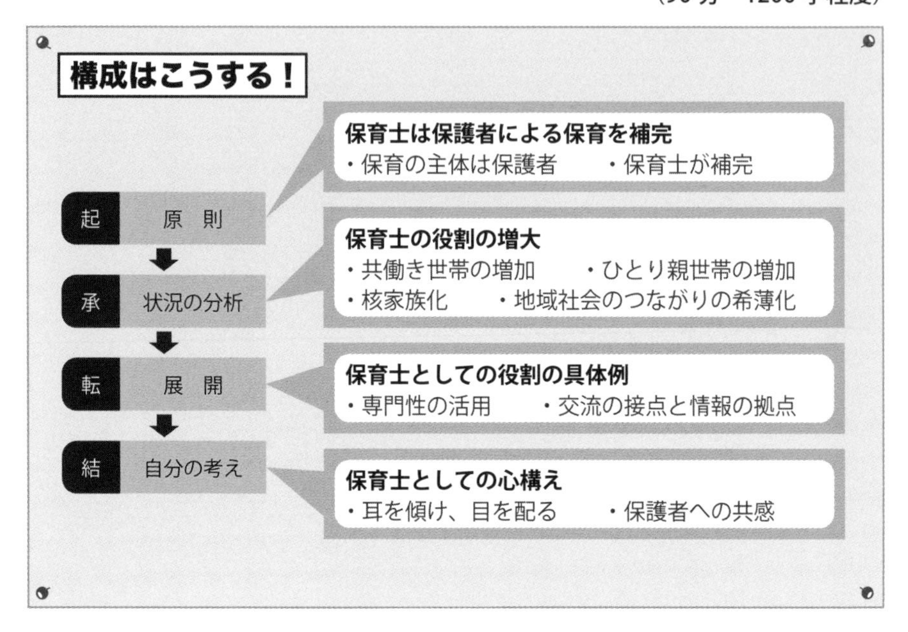

論作文例

起

保育において、子どもが健やかに育つための役割は、原則として保護者が担い、保育士がそれを補完するものとされている。つまり、保護者による家庭保育をベースとして、保育士がそれをサポートするというのが、保育の本来あるべき姿といえる。特に、保護者による家庭保育において、子どもが親から守られ、励まされることは、子どもの人格形成において非常に重要な役割を果たすものである。

承

しかし一方では、共働き世帯やひとり親の世帯の増加に伴い、そういった家庭保育がうまく機能しなくなってきているという問題が増えている。また、在宅で子育てする環境であっても、核家族の固定化や地域社会のつながりの希薄化により、保護者と子どもが孤立しがちとなり、適切な助言・助力や、外部とのつながりを求めるのが困難な場合も多く見受けられる。そうなると、育児が保護者にとって身体的・精神的に大きな負担となり、子どもの成育のための最適な環境を整えることが難しいものとなってしまう。

転

そこで第一に求められるのが、保育の専門家である保育士による助言や支援である。例えば、保育所や**地域子育て支援拠点**の中には、保育士がそれぞれの保護者から育児についての相談を受け、育児交流の接点や情報の拠点といった役割を担っているものがある。また、そういった機能を持たない保育所であっても、保育士が保護者と日々接する中で、個々に保護者からの相談を受け、保護者同士をつないだり、情報を提供するといったことが期待できる。さらに、自分から積極的に外部とのつながりを求めることが苦手な保護者に対しては、育児は社会全体で果たすべき重要な役割であるということを伝えるなどして、保護者自らが能動的に、育児に関する適切な助言や助力を得るために行動できるような支援、居場所づくりをするといったことも可能である。

結

私は保育士が持つこのような役割をより積極的に担っていくことに、今後のより良い保育のあり方の可能性を感じている。一保育士として、保護者の話に耳を傾け、子どもの様子に目を配り、子ども、ひいてはその保護者のために最も良い保育環境は何であるかを、個々の子どもと保護者の立場に立って考え、育児の支援をしていきたいと考える。そして、保育の実務や保護者との交流の経験を積極的に積み、地道に保護者との信頼関係を築いていきたいと思う。そのためには私自身、継続した学習と情報の収集が求められるだろう。また、特に忘れてはならないと思うのは、保育の主体はあくまでも子どもであり、子どもが健やかに育つためには、保護者と保育士の協力が必要不可欠であるということである。保護者と保育士の信頼関係こそが、子どもの人格を豊かに育むという視点を基本として、保護者に対しては共感を持って接していきたいと考えている。

（1147字）

キーワードチェック

核家族

夫婦のみまたは夫婦や父・母のどちらかとその未婚の子どもからなる家族のこと。旧来の祖父母、親、子の同居という形態では、知識や技術の伝承、相互の扶助が自然な形で行われてきたが、都市部への人口の集中などに伴い、現在では核家族が最も多い世帯構成となっている。

地域子育て支援拠点

こども家庭庁の推進により自治体が実施主体となる。全国のおよそ8,016か所以上で実施されている（2023〔令和5〕年度）。公共施設や保育所、児童館など地域の身近な場所で、子育て中の親子の交流や育児相談、情報提供等を実施する。地域の支え合いや子育て中の当事者による支え合いによって、地域の子育て力を向上させることを目的とする。

テーマ2 自治体職員として働くことについて

例題1 「社会人」として必要なことについて、あなたの考えを述べなさい。

（60分・800字程度）

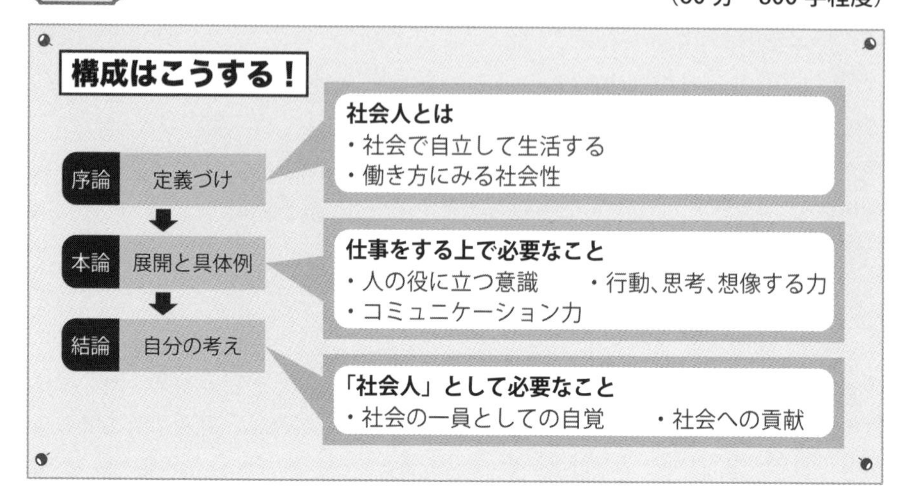

論作文例

序

「社会人」とは、自立した社会生活を送る人のことを指し、また働くことによって自己の可能性を高め、個人としての素質を養っていく存在ではないかと思う。そして、そのような「社会人」になるために必要なことは、実際に社会の中で働くときに求められることと同様であると考える。

本

例えば、職場で働く上で何より大切なことは、誰かにとって役立つことを目的として仕事をすることではないかと思う。そのためには、物事に進んで取り組み、行動する力や、現在の状況を分析して問題点を見つけ出し、それを解決する方法を考える力が必要である。またその方法で問題を解決できない場合には、別の新たな方法を考える柔軟性も求められる。さらに職場では、多くの人たちとともに働くことになるため、自分の考えや仕事の目的を他の人に伝える力が必要である。それとともに、他の人の話にも耳を傾け、相手の立場に立って物事を考えることも求められる。

一例として、保育士として特定の**食物アレルギー**をもった子どもを預かった場合、その子どもにとっては、保育士が**除去食**や**代替食**についての知識を持っているだけでは十分とはいえない。保育所で提供される食物や、それが子どもの口に入るまでの過程をチェックするなどして、子どもにとって安全な態勢を整備することが肝要である。そしてそのためには、自分だけで考えるのではなく、ほかの保育士や保護者と積極的に連携し、協力態勢を築くことが大切である。

結

このように、「社会人」として社会で働く上で必要なことは、誰かの役に立ちたいという目的とそれに沿った行動力である。「社会人」には、社会の一員として、より良い社会づくりに貢献することが求められており、わたしも保育士という仕事を通して、豊かな社会づくりに役立てる人間になりたいと考える。

（747字）

キーワードチェック

食物アレルギー

アレルギーの原因となる食品（アレルゲン）を摂取することによって、皮膚や粘膜などに、様々な症状がでること。アナフィラキシー反応など重篤な症状もある。1歳未満の乳児で最も多く発症するが、小児から成人まで広く認められており、最近では、果物、野菜、いも類などによる食物アレルギーの報告もされている。小児期に最も多い食物アレルギーは鶏卵によるもので、次いで牛乳であるが、その割合は年齢によって変わってくる。

除去食

アレルギーの原因となる食品を除いた食事のことで、食物アレルギーの食事療法に用いられる。ただし、すべての施設などで実施可能なわけではなく、家庭で用意したものを持参させるなどの対応がとられることもある。

代替食

除去食と同様に食物アレルギーの食事療法の一つとして用いられるが、除去食と異なるのは、アレルギーの原因となる食品とは別の、代わりとなる食品を用いる点である。

こんな問題も出るかも!?

- あなたにとって理想の○○市職員とは
- 市民から信頼される職員になるためには
- 民間企業と公務員の仕事の違いについて
- 自治体として取り組むべき少子化対策について

例題2 これからの公務員保育士のあり方について、あなたの考えを述べなさい。
（90分・1000字程度）

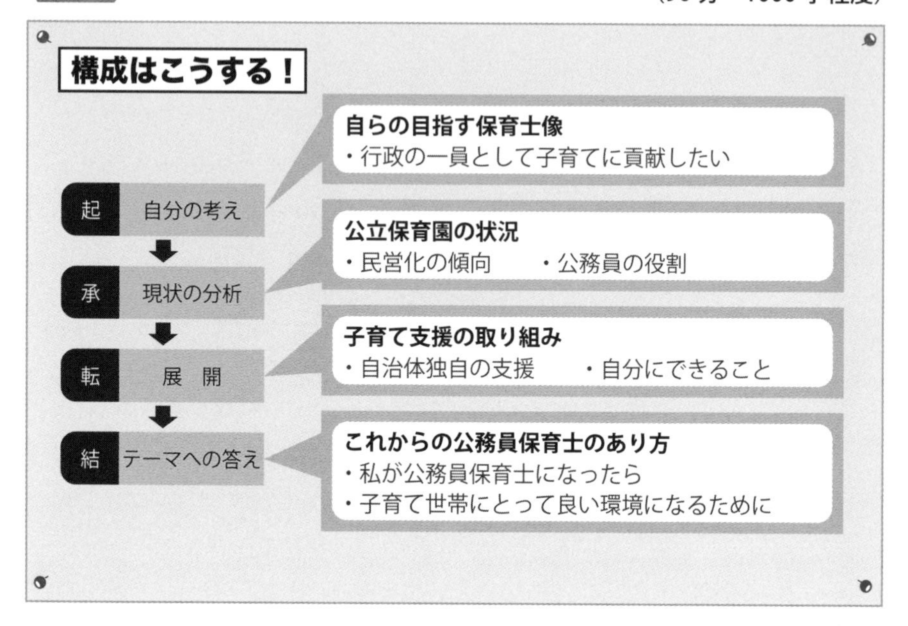

論作文例

起

私は、目指す保育士像が２つある。１つは、子どもの気持ちに寄り添える保育士であり、もう１つは○○市の子育て施政に貢献できる保育士である。私が民間ではなく公立保育園の保育士を志望するのは、保育の仕事がしたいのはもちろん、行政の一員として子育て事業に直接関わっていきたいからである。

承

公務員保育士は自治体の中での異動があり、最近は**保育園民営化**の傾向もある。よって自分の勤務先が保育園でなく、児童福祉施設や市役所となる場合も考えられる。保育の仕事のみを希望していた場合、人によっては自らの願うキャリア形成と異なってしまうこともあると思う。この点からみて、公務員保育士は地域の子育てに貢献する姿勢が大切である。加えて公務員の役割が住民の生活の基盤作りとその維持であることからも、地域全体への視野が欠かせない。

日本は近年**少子化**が進み、そのために様々な子育て支援策がとられている。最近では児童手当の拡充、育児休業制度の改正などが挙げられる。子育てしやすい環境が整い、少しでもこれから出産を考えている人たちの不安が解消されることを私も願っている。

転

さらに、子育て支援に独自に取り組んでいる自治体も増えている。子育て支援金給付や医療費の助成、子育て関連施設の整備、ヘルパーの派遣等を行なっている市町村は多い。地方では、子育て世帯の移住を手厚く支援している自治体もある。そのようなサポートは、利用者にとって有益であるのはもちろん、自治体の住民が子どもに関心を寄せ、子どもにとって温かな雰囲気を作り出すことにつながると考える。その雰囲気もまた、子育てのしやすさとして大きいと思う。

○○市でも、今実施している支援を拡大あるいは新たな支援を打ち出す機会が今後あり得る。私はこれから公務員保育士として、ここに住む保護者や子どもと日々会話を重ねながら要望をくみ取り、どんな支援ができるのか考えていきたい。自分自身で対応できることから園全体、市全体で対応することまで、要望のレベルは様々なはずだ。

結

これからの公務員保育士のあり方として、自治体の保育の基盤を作り、自治体全体の子育てに尽力する心構えが重要だと、私は考える。私が公務員保育士となった際には保護者・子どもと信頼関係を築いて○○市に住んでいて良かったと思える温かな環境づくりを目指したい。その上で、子育て世帯にとってより良い環境になるために何を支援できるか、いつも頭において業務に励みたい。

（1005字）

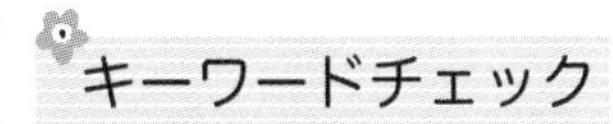

保育園民営化

保育の需要への対応や自治体の財源確保のために保育園の民営化が進んでいる。利用者にとっても保育サービスの充実等の利点があるが、反面、保育の質の低下も懸念されている。東京都の公立・私立を合わせた認可保育園は2023（令和5）年4月時点で3,611と、2004（平成16）年の約2.2倍に増加しているが、その間の公立園は1,010から807へと減少している（東京新聞調べ）。

少子化

1973（昭和48）年に209万1,983人であった日本の出生数は2016（平成28）年にはじめて100万人を下回った。2023（令和5）年の出生数は72万7,277人で8年連続減少、過去最少であった。少子化に歯止めをかけるため政府は、2023（令和5）年に公表した「こども未来戦略」で子育てへの経済的支援として、児童手当の拡充や出産・医療費の経済的負担の軽減などを示した。

テーマ3 社会問題や自分自身について

例題1 最近のニュースで心に残ったことについて、あなたの考えを述べなさい。
（60分・1100字程度）

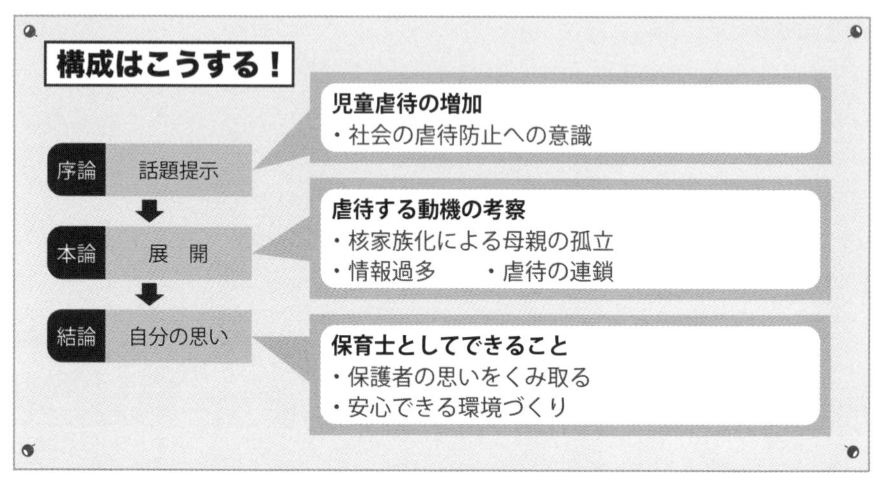

論作文例

序

　私が最近のニュースで心に残ったことは、**児童虐待**の増加である。児童相談所に寄せられる相談件数が、毎年増加傾向であるという。

　ニュースによると、急増の要因の一つとして、相談ダイヤルが周知されたり、虐待事件のニュースが大きく扱われたりと、社会の「虐待」への意識が高まったことがあるそうである。虐待なのかはっきりしなくても、異常なほど泣きわめく子ども、アザが多い子どもを見て相談を寄せるケースが増えたという。相談ダイヤルを周知したことは、意義が大きいと思う。

　私は前から虐待事件のニュースを見るたびに、どうして小さな子どもを傷つけるのかと胸を痛めていた。虐待する理由や背景について、関連の書籍を読むなどして自分なりに考えている。

本

　現代の母親は余裕がないと言われている。昔にくらべ、家電やインターネットの普及で生活は便利になった。しかし精神的には大らかさを失った。核家族が増え、地域とのつながりも薄れ、母親一人で子どもを見る家が増えた。祖父母や近所の大人など子育ての先輩が周りにいれば、育児でつまずいても長い目でみたアドバイスをくれ、母親は大らかに接することができる。だが、育児について誰にも相談出来ず、子どものかんしゃくやわがままをずっと一人で受け止めるのは大変だと思う。**密室育児**で子どもを憎たらしく思う気持ちはどんどん募り、結果虐待につながるのではないかと思う。

現代、育児についての情報が多いのも、時によっては母親を追いつめていないだろうか。子育ては、理想どおりにいかない。何か月までに何ができる、何歳までに何ができる——目安として大いに参考にするべきだが、できなくて苛立つ母親も多い。発達過程はそれぞれだが、インターネットや本の情報で頭がいっぱいになって、子どもを追いつめることもあるだろう。

また、虐待の連鎖も、何とか食い止められないかと考えている。虐待をしてしまう親は、自分も虐待されて育った人が多いそうである。子どもへの愛情のかけ方や叱り方が分からず、親と同じことを繰り返してしまう。哀しいことである。皆子どもが産まれたときは嬉しかっただろうし、子どもの笑顔や動作にたくさん喜びをもらっただろう。この点こそ、行政が立ち入って虐待された子のケアを手厚くし、連鎖を止めなくてはいけないと思う。

結

私はこれから保育士として、子どもはもちろん保護者の声にも耳を傾けながら働きたい。何か思い悩んでいることはないか。誰か相談できる人はいないか。常に考えながら、親も子も安心できる環境を作っていきたいと思う。

（1048字）

キーワードチェック

児童虐待

児童相談所における虐待相談の内容別件数によると、多い順に心理的虐待約12万9千件（59.1％）、身体的虐待約5万2千件（23.6％）、ネグレクト約3万6千件（16.2％）、性的虐待約2千件（1.1％）と公表されている（令和4年度児童相談所における児童虐待相談対応件数の速報値）。

密室育児

保護者と子どもが長い時間を二人きりで過ごすこと。核家族化により増えている。目が離せない・手がかかる年齢の子どもを一人でみなくてはいけないため、また、子育ての悩みを話せる大人がいないため、育児ノイローゼにつながることもある。

『社会問題』の対策は

社会問題をテーマにした問題では、実際に起きた出来事や問題について問われます。ふだんからニュースや新聞などにアンテナをはり、自分なりの言葉で感想や意見をまとめたり、キーワードをメモしておくのもよいでしょう。

例題2 あなたの過去3年程度の経験のうちから「自分が成長できたと思う経験」と「どうしてそう考えるのか」について、具体的な例を挙げながら述べなさい。 （60分・800字程度）

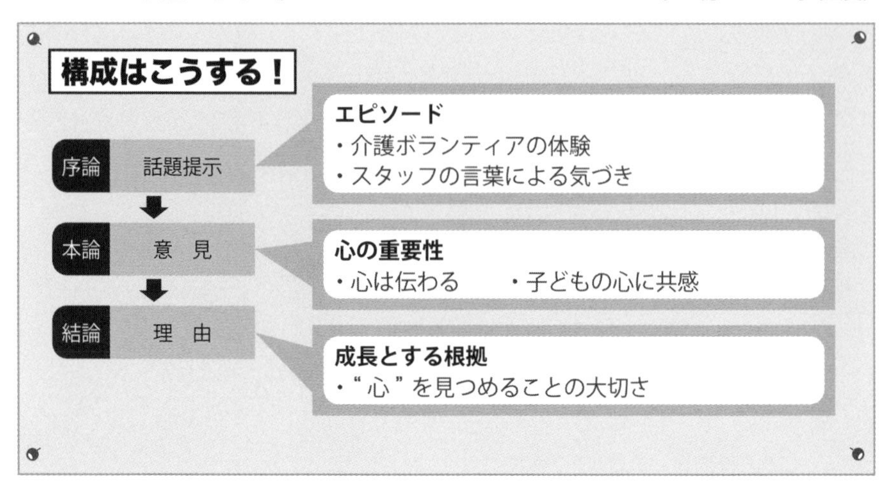

論作文例

序

私は、少し前まで介護とは単に高齢者や障害のある人の"世話"をすることであると思っていた。だが、**介護ボランティア**に参加したことで気づかされたことがある。

病気の祖父と同居していたこともあり、以前から介護にも興味のあった私は、春休みの毎週末、ある**特別養護老人ホーム**を訪れて**認知症**などを患う高齢者の日常のケア、レクリエーションのお手伝いをした。その2日目、スタッフの一人から「利用者さんと接するときは必ず声をかけてくださいね。それから笑顔も忘れないでね。」と注意を受けた。私は初めての介護に戸惑い、頼まれたシーツ交換や食事の介助をこなすことに一生懸命になり、ただ無言で作業をするだけになっていたのだ。

本

コミュニケーションがうまくとれない高齢者にも、声をかけて笑顔で接すれば安心して介助を受けられるだろう。また、依頼もしやすくなるだろう。しっかり顔を見て、相手がどんな気持ちでいるのか、自分だったらどんなふうにしてもらいたいのかをくみ取るという心の部分が抜け落ちていたら、いくら技術があっても単なる介護ロボットに過ぎない。

子どもと接する場合も同じである。保育士は、子どもが健やかに成長していく手助けをする。そのためには毎日の生活の中で、子どもたちの伝えたいことや、求めていることをしっかりくみ取り、一緒に笑ったり考えたり、子どもの心に“共感”できることが必要だろう。

結

私は、**社会的弱者**といわれる高齢者や障害のある人たちと接したことで、人の思いを感じとることの大切さに改めて気づくことができた。今回の経験を糧にして、どんなときも、どんな人に対しても、相手の言葉や表情はもちろん、“心”をしっかり見つめることのできる人間でありたいと思う。

（705字）

キーワードチェック

介護ボランティア

高齢者ケアセンター、障害者福祉施設、医療機関などで、利用者の日常生活のケアや趣味活動などを手伝うボランティア。一般に、年齢や介護経験などは問われず、誰でも応募することができる。

特別養護老人ホーム

社会福祉法人や地方公共団体が運営する公的な（都道府県知事の指定を受けた）高齢者居住施設。常時介護が必要な65歳以上の高齢者で、寝たきりや認知症など自宅介護が困難な人を対象とする。

認知症

様々な原因で脳細胞が死んだり働きが悪くなったりして障害が起こり、生活に支障が出ている状態。脳の神経細胞が徐々に死んでいく「アルツハイマー型認知症」、脳血管の疾患により神経細胞が死んだり、神経経路が壊れてしまう「脳血管性認知症」などがある。

社会的弱者

人種、宗教、国籍、性別、病気などにより、所得、身体能力、発言力などが制限され、社会的に不利な境遇に立たされる者のこと。高齢者・障害者・子ども・女性・失業者など。

こんな問題も出るかも!?

- 自分の長所と短所について
- 今までで一番がんばったこと
- 今までで一番感動したこと
- 部活動・サークル活動、アルバイト、ボランティア活動などから学んだこと
- 心に響いた一言
- 嬉しく思ったこと、不満に思ったこと
- これまでの人生で乗り越えた困難と、その経験から学んだこと

面接試験のポイント

面接試験は、公務員でも、民間の保育園などでも選考の大きなポイントとなります。乳幼児期は子どもの成長過程の重要な時期であり、保育士は子どもに大きな影響を与えます。そのため、特に「人物」が重視されます。誠実に受け答えしましょう。

面接には、個別面接、集団面接、集団討論などがあり、複数回行う自治体も多くあります。

(1) **個別面接**：受験者1名に3～4名の面接官が面接します。自己PRのよい機会となりますので、相手をしっかり見て話しましょう。

(2) **集団面接**：複数の受験者を、複数の面接官が面接します。一つの質問に受験者が順番に答えていく（紙に書いて見せる）パターンや、挙手制などがとられているようです。他の受験者の答えに気おくれしたり、焦ったりすることもあるかもしれませんが、落ち着いて自分の考えを述べましょう。

(3) **集団討論**：集団面接のように、複数の受験者を複数の面接官で面接しますが、基本的には、与えられたテーマについて、受験者同士で自由に討論することが多いようです。人の話をさえぎらない、感情的にならない、など討論のルールを守り、適切に発言しましょう。

✽面接試験で見られること

(1) 意欲、積極性、前向きさ
(2) コミュニケーション能力
(3) 専門的知識の確かさ　　　など

✽気をつけよう

・はっきり「はい」「いいえ」
・わからないときには「わかりません」
・聞き取れなかったときには「すみませんが、もう一度お願いします」

✽よく聞かれること

・保育士になりたいと思った動機、どんな保育士になりたいか、理想の保育士について
・長所・短所、得意科目・不得意科目などについて
・自分の性格、趣味などについて
・体験について（部活動・サークル活動、ボランティア活動、アルバイトなど）
・最近気になるニュースについて
・保育現場について（保育で大事にしたいこと、子どもへの対応など）

■監修：近喰 晴子

和田実学園学事顧問、東京教育専門学校副校長、目白幼稚園長。前秋草学園短期大学学長。日名子太郎に師事し、保育学に関する研究を重ねる。保育内容、保育者論、実習関係等のテキストを執筆。

■専門科目執筆者

保育原理
長谷川　孝子
清泉女学院短期大学教授

教育原理
コンデックス情報研究所

社会福祉・子ども家庭福祉
高野　亜紀子
東北福祉大学准教授

社会的養護
細川　梢
福島学院大学准教授

保育の心理学
山本　有紀
洗足こども短期大学准教授

子どもの保健
コンデックス情報研究所

子どもの食と栄養
筒浦　さとみ
新潟大学准教授

■編著：コンデックス情報研究所

1990 年 6 月設立。法律・福祉・技術・教育分野において、書籍の企画・執筆・編集、大学および通信教育機関との共同教材開発を行っている研究者・実務家・編集者のグループ。

本書の正誤情報等は、下記のアドレスでご確認ください。
http://www.s-henshu.info/hoss2408/

上記掲載以外の箇所で正誤についてお気づきの場合は、**書名・発行日・質問事項（該当ページ・行数・問題番号**などと**誤りだと思う理由）・氏名・連絡先**を明記のうえ、お問い合わせください。

・web からのお問い合わせ：上記アドレス内【正誤情報】へ
・郵便または FAX でのお問い合わせ：下記住所または FAX 番号へ

※電話でのお問い合わせはお受けできません。

〔宛先〕コンデックス情報研究所
「保育士採用試験重要ポイント＋問題集 '26 年度版」係
住　　所　：〒 359-0042　所沢市並木 3-1-9
FAX番号　：04-2995-4362（10：00 ～ 17：00　土日祝日を除く）

※本書の正誤以外に関するご質問にはお答えいたしかねます。また、受験指導などは行っておりません。
※ご質問の受付期限は、2025 年 10 月末日までに実施される各試験日の 10 日前必着といたします。
※回答日時の指定はできません。また、ご質問の内容によっては回答まで 10 日前後お時間をいただく場合があります。
あらかじめご了承ください。

保育士採用試験 重要ポイント+問題集 '26年度版

2024年11月1日発行

監　修　近喰晴子（こんじきはるこ）
編　著　コンデックス情報研究所（じょうほうけんきゅうしょ）
発行者　深見公子
発行所　成美堂出版
〒162-8445　東京都新宿区新小川町1-7
電話(03)5206-8151 FAX(03)5206-8159
印　刷　大盛印刷株式会社

ISBN978-4-415-23901-9
落丁·乱丁などの不良本はお取り替えします
定価は表紙に表示してあります